A Olivia.
A Natalia y Julia.
A mis viejos amigos. A los nuevos.

"No existen tierras extrañas.
El viajero es el único extraño."
ROBERT LOUIS STEVENSON

Primera parte

UN ASUNTO DE GATOS

I

Lo llaman el apagón.
El blackout.
Despertar sin idea de dónde estás ni qué fue lo que pasó.
Y aquí estoy.
Comienzo con eso, que no es poco.
Ay.
Un taladro en la cabeza.
No lo tengo: lo siento, que es peor.
Consigo abrir los ojos con esfuerzo enorme, como el que costaría levantar la losa de mármol que sirve de tapadera a una tumba. Luz eléctrica y repelente. Cadáveres secos de moscas en el tubo de neón: sus sombras se proyectan en el suelo. La boca me sabe a polvo. Manos sucias, pies sudorosos. El sofoco me rebasa. Mi cabello gotea como si acabara de salir de la regadera. La playera se me pega a los costados.
Al menos no chorreo sangre como un santo Cristo, me consuelo. Consigo ponerme de rodillas y, empujándome contra la colchoneta sobre la que me encontraba derribado, me pongo en pie. Mis brazos tiemblan por el atrevimiento. Debo oler a perro.
Pero no voy a besar a nadie.
No hoy.
Los problemas de los últimos días se agolpan en mi cerebro irritado. Las amarguras, la incertidumbre, los líos con Sofía, la desaparición de Paulo.

Paulo.

Mi amigo no está. En su busca terminé aquí, atacado por quién sabe quién, arrastrado a quién sabe dónde. Un relámpago de rabia me golpea en mitad de los ojos. No hay fuerzas para resistirlo.

Desaparecido. Aún no hay nota en los periódicos, todavía no lo comentan en la radio. Porque si le informamos algo a quien sea, van a matarlo.

Desaparecido él: jodidos nosotros.

Si te falta alguien, no disfrutas la comida ni el agua, no vuelves a dormir un sueño cabal.

Secuestrado.

Desaparecido.

Estoy desatado, pero debieron amarrarme durante un buen rato porque me arden las muñecas y los tobillos. Las marcas de la cuerda son visibles y los raspones en mis brazos están rematados por puntitos rojos. Escuece como la madre pero no hay luz suficiente para revisar a fondo. Ni ganas. Lo que quiero es largarme.

El cuarto no tiene ventanas ni mobiliario. Bueno: la colchoneta y una radio apoyada sobre una lata de pintura puesta boca abajo. El resto es cemento corroído y una huella larga y pesada en el polvo que debí dejar cuando me arrastraron hasta acá. Así descubro que tengo la espalda raspada, la playera chamagosa y rasgada. Y nada de chamarra. Ni cartera. Ni dinero. Los dólares que envió mi tío estaban allí. Y eran todo lo que tenía.

Salir del apagón puede ser lento y duro, como subir por el túnel de una cueva sin más herramienta que las uñas. Ahora me doy cuenta de que tengo más de un par de golpes en la cara y una hinchazón en el pómulo que duele al tocarla. Espero que esos dientes que siento flojos se aprieten en su lugar al paso de las horas, cuando la inflamación baje. No tengo ganas de buscar ni de darle explicaciones a un dentista. Quizá ni siquiera haya uno en este pinche lugar.

Lo que hay es una puerta metálica, pizcas de pintura negra desprendiéndose. La pateo y se sostiene. La vibración no le hace bien a mis dientes, carajo. Tampoco a mi cabeza, que se pone a punzar y me obliga a acuclillarme, caer y volver a la colchoneta.

Agazapado, toso. Me sostengo el puente de la nariz y es como sostener el mundo entero. Un mundo que se desmorona.

Respiro, respiro.

Aguanto.

El hueco en el estómago se convierte en estallido luminoso. Una ráfaga de vómito tiznado de negro sale disparada de la garganta y se estrella en la pared. Dos, tres y cuatro arcadas. La tos sobreviene y me zarandea. Termino doblado sobre mí, los ojos cerrados. Destruido.

Media hora después, luego de perder la conciencia, recobrarla, ser poseído por la sensación de que no puedo recordar mi propio nombre, sufrir un ataque de pánico y decidir que voy a morirme allí sin mirar mi cara en un espejo nunca más; luego de llorar como un becerro y llamar en silencio a mi madre, que hace años no está, consigo rehacerme.

De pie, tembloroso, regreso a la puerta.

Giro la chapa.

Está abierta.

Afuera hay un cielo espléndido, coronado de sol. Asomo a un jardín suave, fragante. Al fondo se levanta una casa. No hay cortinas ni muebles visibles. La supongo abandonada. Por ahí se ve una alberca. Desde mi posición no parece que tenga agua. Quizá quede una poca, lodosa, hedionda.

"No estaba preso", me digo.

La puerta estuvo abierta todo el tiempo.

Soy un imbécil.

Descubro, hacia el otro lado, una calle serena y desierta.

Allá debo ir.

Resoplo, tomo fuerzas, escapo a tropezones a la salida más cercana.

Nunca quise ir a Casas Chicas.

La cariñosa descripción del pueblo que había hecho Paulo me puso en guardia porque los datos científicos no coincidían con los empíricos. ¿Cómo puede ser bello un lugar que alcanza los cincuenta grados a la sombra en verano y luego se derrumba a los diez bajo cero en invierno? Eso era el pueblo: un calor insoportable que se sobrellevaba a fuerza de cervezas o, en cambio, un frío que oprimía el pecho y lo ponía a uno de rodillas; calles idénticas a las de esos suburbios residenciales que llaman "cotos" e indistinguibles de un cementerio de chatarra en los rumbos pobres (pero siempre rectas, eso sí, porque Casas Chicas se levantaba en una planicie desértica y cualquier curva resultaba inútil); camionetas conducidas por tipos con sombrero y bocinas estentóreas y (dicho con el tono de un promotor de turismo) "las muchachas más lindas y cabronas que vas a ver en tu vida, pinche Luisito".

Supongo que ningún lugar es así, pero Paulo insistía en asegurarlo. También recalcaba la excelencia de la carne asada local: "la mejor que vas a probar en la vida", decía; pero hacía tiempo que no comía carne porque me había intoxicado con un kilo de *T-bone* en un cumpleaños (el suyo) y nunca había vuelto a ser el mismo. Necesitaba tiempo para digerir. Literalmente.

Conocí a Paulo el primer día de clases de la preparatoria: le asignaron la banca al lado de la mía. Él tenía quince años entonces y yo, dieciséis. Era un güero de piel colorada y tan bajito que daba la impresión de ser igual de ancho que de alto. Su padre, presumía, era constructor y un tipo importante en el pueblo (se le notaba el orgullo al decirlo: lo había convertido en una suerte de superhéroe y eso siempre lo envidié). La familia de su madre era propietaria de un despacho de abogados y él estaba destinado a heredarles un negocio bien aclientado y estable (además, único en Casas Chicas) si conseguía pasar la prepa, entrar a la escuela de derecho y graduarse. Esa seguridad y los buenos pesos que le mandaban cada mes hacían de Paulo un sujeto de lo más relajado.

Pese al entusiasmo con que describía su tierra y la enjundia con que explicaba que el gentilicio de Casas Chicas no era "casochiquense" o "casachiqueño" ni nada por el estilo, sino "vallense" (porque al llano requemado en que se alzaba la ciudad los nativos le decían "el valle"), Paulo no se parecía al norteño arquetípico. No usaba botas picudas sino tenis de apariencia

16

extraterrestre, tampoco se ponía tejana en la cabeza sino sudaderas deportivas con capuchita.

La primera vez que me dio *ride* de regreso de la escuela (su auto era un discreto sedán con vidrios transparentes y no una camionetota polarizada) descubrí que lo suyo no era la banda ni la tambora, sino la balada romántica y la salsa. Tampoco era aficionado a subirle el volumen a las bocinas.

Por supuesto que al oírlo hablar quedaba claro su origen, porque el acento golpeado de su tierra se le colgaba en todas y cada una de las sílabas. También era evidente su procedencia "vallense" en la escasa diplomacia de sus frases. Estuvo a punto de reprobar el seminario de comunicación, por ejemplo, por decirle a la venerable maestra Pachita (una eminencia con treinta años de práctica docente sobre sus espaldas) que con los pelos recién pintados de rojo con que apareció en la segunda clase de seguro iba a conseguir novio, y no fue capaz de entender la explicación que le di sobre los motivos de la sorpresa, indignación y rabia que hicieron torcerse a Pachita.

A lo largo de los meses, luego de aquel *ride* a la casa de mi tía Elvira en Las Águilas (a él le quedaba de paso, rumbo al condominio del sur de la ciudad en el que estaba instalado), llegué a conocerlo bien. Paulo bebía como un corsario (y a la tercera cerveza se ponía a hablar de su pueblo, la carne asada, las piernas de las chicas, el Club Campestre, las expediciones de cacería con su padre) y presumía de haber abatido un coyote a los nueve años sin más ayuda que un rifle de copitas. Se enamoraba de chicas que jamás le harían caso y, como era rechazado serialmente, porque las muchachas tapatías lo veían tal como las damas romanas deben haber visto a los bárbaros, terminaba por hastiarse e invitaba las cervezas.

Hicimos buena amistad.

Un viernes de diciembre, cerca del cierre del tercer semestre de la preparatoria, Paulo me invitó a pasar las vacaciones navideñas en Casas Chicas. Debo decir que originalmente convidó a los dos o tres compañeros de la escuela que a veces nos juntábamos a ver el futbol del sábado en su condominio (aunque la mayor parte de las veces el único que aparecía por ahí era yo), pero los otros tenían novia formal y padres que exigían su asistencia a la mesa en Noche Buena. En cambio, en casa, a mí me esperaba una tía a la que casi le daba lo mismo si yo aparecía por allí o no. Y mejor si no: así se ahorraba el regalo.

Sin embargo, no fui fácil de convencer. Nada en el mundo me molestaba más que un clima extremo como el de Casas Chicas. Con una excepción: dormir en cama ajena. Las camas ajenas eran terrenos desconocidos en los que podía suceder cualquier cosa desagradable. Una almohada extraña podía estar llena de alacranes, campamochas o contener dinamita. Ésa era mi filosofía.

Paulo insistió. Prometió pagarme los aviones (él se iba una semana antes, manejando su propio carro, y la alternativa para mí, que aún tenía que llamar a Estados Unidos y rogarle por algo de dinero a mi tío, era volar o tomar un autobús que tardaría treinta y cuatro horas en alcanzar su destino) y juró que todo sería terso y sencillo. Acepté porque Paulo me simpatizaba y porque no había tenido un festejo decente de fin de año desde que mis padres murieron.

Al aceptar, pues, me condené a todo lo que sucedió.

Supongo que ahora querrán saber quién soy. O quizá no, pero me parece que es el momento de contarlo porque de otro modo es posible que no quede claro nada de lo que estoy refiriendo, y eso no debo permitirlo.

Me llamo Luis. Ahora que lo cuento he envejecido ya varios años y estoy un poco irreconocible, pero en la época de mi historia era joven. Ésta, vaya, es una vieja historia, pero no una historia vieja, porque la protagonizarán sólo jóvenes y porque la escribo con ayuda de la libreta de notas que solía acompañarme por aquellos días. Esta libretita resulta un poco vergonzosa, ahora, porque da una idea precisa sobre lo rematadamente cobarde que era y la importancia que le daba a asuntos en los que ahora ni siquiera me fijaría. Quizá.

Estaba por escribir que leerme es como leer a un desconocido, pero la realidad es que no, que pasa justo lo contrario, porque no hay nadie más conocido para uno que uno mismo. Y nadie más puede haber escrito las palabras irremediables con las que describí mis sensaciones luego de fumar mi primer cigarrito, beberme las primeras cervezas en Casas Chicas o tocar la piel de Sofía.

No las repetiré, o quizá sí, un poco, pero las tendré en cuenta porque no hay mejor modo de recontar ciertas cosas que repasar las palabras e ideas con que intentamos entenderlas la primera vez.

Mi época, que ahora puede parecer apolillada y borrosa como una foto antigua, era similar a la de ustedes. Así la recuerdo. Un ejemplo: los autobuses urbanos que ustedes abordan son los mismos que yo utilicé (y en eso van en desventaja, porque entonces eran vehículos seminuevos y ahora son tartanas que crujen y se desarman en tiempo real).

El cambio principal, notarán enseguida, es que no teníamos celulares o red. Quizás alguien piense que es poca cosa, pero hace una diferencia notable. En cierto sentido, ese detalle convierte mi historia en algo lejano, como las aventuras de piratas, vaqueros o cazadores africanos de mis mayores, que para ustedes son cuentos de otro siglo.

No soy uno de esos viejitos que se quejan de la red. Todo lo contrario: me parece sensacional. Sólo que es probable que nada de lo que me sucedió, de lo que nos sucedió entonces, hubiera pasado del mismo modo, o siquiera ocurrido, si hubiéramos dispuesto de la red.

Aunque diez años después ya era cosa común, estas historias sucedieron antes de la revolución. Soy parte de la última generación que tuvo que escribir a mano o en máquina de escribir y formarse durante minutos interminables ante teléfonos públicos.

Pueden reírse. Reiré con ustedes.

Cuando lo de Casas Chicas sucedió, contaba con poco más de diecisiete años. Me llamo Luis, ¿lo dije ya? Lucho, me decía mi madre. Apenas la recuerdo, aunque había cumplido diez cuando murió. Junto con mi padre, por cierto. Tuvieron la mala suerte de estar en medio de un asalto. Al menos me queda el consuelo de que no fue uno menor, de ésos que aparecen en el periódico de cada día, sino un incidente espectacular: el robo al Banco de Crédito de Guadalajara. Quizá no sabrán nada de él, me temo, aunque en su tiempo fue un escándalo mayor; pero podrían buscar a su tía y preguntarle. O recurrir a esos dioses omniscientes que son los buscadores en red.

En fin. Lo contaré según el testimonio que un cajero (el único sobreviviente) les dio a los periodistas y que circuló durante semanas en encabezados y noticieros de radio y televisión. Unos ladrones entraron a la sucursal bancaria que estaba a la vuelta de casa. Mis padres, gente austera y previsora, se encontraban sentados al escritorio de su ejecutivo de cuenta. Era sábado por la mañana y querían depositar el aguinaldo que les habían dado en la oficina (eran, ambos, trabajadores de correos, lo cual no significa de ningún modo que fueran carteros: eran empleados administrativos, es decir, trabajaban en sendos escritorios; esto lo aclaro porque, aunque no tengo nada contra los carteros, odié que los periódicos de la época consignaran el dato equivocadamente).

Los bandidos aparecieron por la puerta principal armados con rifles automáticos y, para abrir boca, les dispararon una ráfaga de plomo a los presentes. Luego gritaron: "¡Quietos todos!", vaciaron las cajas y pasaron revista a heridos y muertos para despojarlos de las carteras.

Alguien había pulsado el botón de emergencia. Los rateros lo descubrieron cuando se encendió la luz que informaba que la bóveda se había cerrado y una alarma comenzó a bramar como un alma en pena. Aunque no habían pensado en saquear la bóveda, el hecho de que alguien desobedeciera su única frase (la de "quietos todos") los ofendió.

En vez de huir con lo ganado, como habría hecho cualquier banda sensata (y acá podríamos discutir si "sensato" es adjetivo que le acomode a un tipo armado), decidieron vengarse. Procedieron a matar a uno de cada dos clientes y empleados. Al resto, en el que se incluían mis padres, los concentraron detrás de las cajas. Berrearon una segunda ordenanza que era también una promesa: "Al que se mueva, lo quebramos".

La primera unidad policiaca arribó en ese momento. En diez minutos llegaron cinco más. La toma de rehenes duró dos horas. Nunca hubo diálogo con los secuestradores: las pocas cosas que se dijeron delincuentes y oficiales fueron a grito pelado.

El jefe de la policía apareció, junto con las cámaras de televisión, ataviado con un chaleco antibalas que no era el reglamentario (tenía el escudo de la policía de Nueva York y se lo habían obsequiado en una gira oficial) y un rifle de mira telescópica que no sabía empuñar apropiadamente (lo sostenía detrás de la cabeza, como si quisiera rascarse los omóplatos). No tenía intención de negociar: quería a los bandidos muertos. Lo prometió ante las cámaras de televisión con palabras que parecían el colmo de la responsabilidad: "Mi prioridad son los rehenes, pero no dudaremos en utilizar la fuerza para salvarlos".

La usaron en cuanto volvieron a escuchar balazos. Veinte elementos de "élite" entraron a tiros al banco cuando se hizo evidente que los ladrones habían vuelto a ponerse el traje de verdugos. La policía no tuvo una sola baja; los bandoleros murieron. También casi todos los rehenes, incluidos mis padres.

Las notas periodísticas del día siguiente aseguraban: "Una pareja de carteros, entre las víctimas".

Pero les juro que no eran carteros.

Estaba en la primaria. Cuarto año. Era un niño común, con calificaciones entre el ocho y el nueve. Rara vez me remontaba a los cielos del diez pero nunca bajaba al infierno del siete. Quizá pude ser mejor, porque era bueno para exámenes y tareas, pero me costaba una barbaridad hablar en clase y era un fracaso en los trabajos en equipo. Cosa de la timidez: me aterraba la necesidad de dirigirle la palabra a alguien por obligación, así fuera la maestra a la que veía cinco días a la semana.

Cuando sucedió lo del Banco de Crédito de Guadalajara pasé de ser Luis-el-callado a ser Luis-al-que-le-mataron-a-los-papás. Mi vida entró en picada. Una tía de mi madre, Elvira, me llevó a su casa. El resto de la familia (tampoco era muy cercana) estaba fuera de la ciudad y mi único pariente directo, el tío Mario, hermano de mi padre, vivía en Estados Unidos y consideró mejor no mudarme de escuela ni de barrio. Apostaba a que la estabilidad ayudaría a que no me quedara loco.

Elvira era anciana, soltera, muy devota y muy apática sobre cualquier asunto más elevado que las telenovelas de la noche. Se guardó el dinero que Mario consiguió por rematar la casa y las pertenencias de mis padres, que no habrá sido demasiado, y se comprometió a cuidarme. No lo hizo tan mal, si consideramos que tenía más de sesenta años, no era afectuosa con nadie más allá del Supremo Creador, y el dinero que consiguió el tío no era como para darme vida de príncipe. Al menos no me faltó qué comer ni dónde dormir y, dicho sea en su favor, tampoco fui obligado a fingir interés por su religión. Lo agradezco.

No quedé en el desamparo, pues, pero sí acusé el golpe. Lo insomne, por ejemplo, permaneció como un hábito perpetuo. También me volví un maniático incapaz de lidiar con un perro desconocido o una pieza de música que no fuera de mi elección o, como ya dije, con una cama ajena a la mía. Dejé de ser bueno para responder exámenes y a finales de ese año mi promedio bajó al siete (y eso que tenía colchón, así que debo haber sido un desastre). Elvira optó por no reconvenirme y pasé el verano en la sala, ante el televisor, con la cabeza en blanco y ninguna gana de salir a la calle.

Regresé a la escuela en septiembre. Asistí con normalidad la primera semana. Para el viernes, mientras esperábamos el timbre de salida de la última clase, que era bastante sencilla porque la profesora era la representante sindical y nunca se presentaba, comencé a hablar en voz alta. Lo hice espontáneamente, entrometiéndome en una charla ajena.

Me explico. Uno de mis compañeros presumía una colección de navecitas de Star Wars heredada de sus hermanos mayores (las películas ya eran viejas entonces y faltaban años para que aparecieran las continuaciones). Yo, que a fuerza de ver la televisión era un experto, me animé a corregirle un par de datos equivocados sobre qué muñeco pilotaba qué nave.

El tipo se llamaba Germán. Tenía ojos hundidos y cabello rizado y peinado como el de un *french poodle*. Volteó a verme como si hubiera una mosca en el horizonte: "Milagro, habló el huerfanito". Hubo risas pero casi todos los presentes entendieron que aquello era una puñalada y prefirieron el silencio. No dije nada, volví a mi cuaderno. Germán insistió: "¿También tienes las naves o cómo es que sabes? ¿Las compraste con la herencia? ¿O las trajo el cartero?"

Recuerdo la sensación de partirle el labio con el puño cerrado y también que el salón entero se me echó encima para defenderlo. Bueno, exagero. No deben haber sido todos. Ninguna de las niñas, por ejemplo, participó en la paliza que me dieron Germán y sus cuates. Nos miraban con ojos redondos como lunas. Una de ellas salió a buscar a la maestra. No la encontró pero dio aviso al conserje, don Patricio, que fue el encargado de rescatarme.

En la dirección, las secretarias me dieron un vaso con agua, me limpiaron la cara y sacudieron el polvo de mi suéter y mis pantalones. En un rapto de bondad, una de ellas sacó un costurero de su bolsa y zurció el desgarrón que las uñas de Germán le hicieron a las aletillas de mi camisa. Quedé casi presentable. El ojo morado no tuvo arreglo, pero le expliqué a la tía que era culpa de un resbalón y ella hizo como si lo creyera.

El lunes no me presenté a clases. En vez de caminar hacia la escuela, subí a la camioneta de la ruta seiscientos treinta y dos y me dirigí al Bosque de los Colomos. En la mochila llevaba dos sándwiches y un termo con agua de limón. También un libro enorme que me había regalado el tío Mario y que abordaba temas mucho mejores que los que veía en la escuela: dragones y caballeros. Me senté a leer recargado contra un árbol. Pasé allí el resto del año escolar.

Cada mañana era lo mismo: autobús, caminata, cruce del bosque, árbol y sombra, lectura. En invierno decidí llevarme una cobija de lana y un gorro pero no cambié de guarida (el frío y la arboleda, además, resultaban ideales para ambientar las historias de batallas, pasadizos, fuegos maléficos y dioses borboteantes que frecuentaba). La tía Elvira se enteró de mi deserción en mayo, cuando la llamaron para avisarle que podía pasar por mis papeles para entregarlos en la nueva escuela a la que debía haberme ido, porque allí nadie me veía desde septiembre…

No hubo regaño ni explicaciones. Recogió los documentos y procedió a informarme que me había inscrito en otra escuela y que iba a tener que pasar unos exámenes si quería volver a estudiar. Al tío Mario le dijo que me habían reprobado, sí, pero al menos me estaba aficionando a la lectura. Él mandó un dinerito extra.

Cambié de escuela y mejoré. Un poco. En adelante, siempre fui un año mayor que mis compañeros y eso ayudó a que me intimidaran menos que los anteriores. No volví, eso sí, a ver a ninguno de los tipos con los que estudiaba antes. Estaban tan muertos como mis padres. En adelante llamamos a esa época "el año que estuve enfermo", ocurrencia de mi tía que describe a la perfección el sentimiento que aún tengo al respecto.

El tiempo, qué remedio, transcurrió en la dirección de costumbre. Para cuando llegué a tercero de prepa, aquello estaba olvidado. Demasiadas cosas cayeron encima.

Aunque el pasado también sabe perdurar. Como esos sofás fuera de uso, que se quedan allí, cubiertos con sábanas, polvosos y fuera de la vista, pero que no desaparecen.

El primer sobresalto de lo que sería mi malaventura en Casas Chicas sucedió al día siguiente de que me comprometí a pasar las Navidades allá. En vez de la caminata de veinticinco minutos desde la casa de mi tía en Las Águilas, llegué al condominio de Paulo en autobús. La prisa era innecesaria. Sólo yo había confirmado mi asistencia, nuestros compañeros optaron por irse al cine con sus novias. El partido del sábado no comenzaría sino a las cinco, y eran apenas las cuatro y diez.

Toqué la puerta. El silencio contrastaba con el acostumbrado rugido del televisor. Nadie respondió. Volví a golpear con los nudillos. Escuché unos pasos ligeros que no podían ser obra del tapón humano que era mi amigo. El aire comenzó a soplar con violencia.

En la puerta no apareció Paulo, sino Sofía.

El estómago se me volteó, una punzada de ácido me pinchó la boca y un conato de tos me obstruyó la garganta. Era imposible, una broma funesta. Como un tigre aparecido en la escalera.

Ella debió pensar algo muy diferente porque sonrió y me abrazó como si nos hubiéramos visto la tarde anterior. Guardé las apariencias y devolví el cariño con debilidad. Me colé al condominio y ocupé la silla del comedor en la que solía mirar los partidos. Sofía se apoltronó en el sillón más cómodo, que era el de Paulo.

No sabía qué decir, así que ella fue la primera en abrir la boca.

—¿Cómo va todo?

—Bien.

Decidí clavar la mirada en el televisor. Ella carraspeó.

—Quiero hablar contigo, pero espérate, que ya viene…

Mi amigo apareció con la panza al aire, colocándose la playera con dificultades. Acababa de bañarse. Nunca logró tener el cabello largo, pero el que le crecía era suficiente para mojarle los hombros, así que regresó a la recámara por una toalla y se secó a tirones, como si escurriera al perro de la casa.

Los celos duelen de un modo muy particular. Una hinchazón en el paladar y la garganta, un golpe debajo del cinturón, el pie del enemigo en el abdomen. No era capaz de decir si era peor haberme topado con Sofía, cuando estaba seguro de que no volvería a verla, o, como sucedió, encontrármela instalada en la sala de Paulo, quien, por si fuera poco, estaba poniéndose cómodo. No quise preguntar. Me limité a sentirme miserable y clavé de nuevo la vista en el televisor.

—Luis quiere saber si andamos —dijo Sofía con la misma voz ronca y burlona que recordaba.

Lo decía como si pudiera leer mi cabeza, oler el miedo y elegir las peores palabras para hacérmelo saber. Cerré los ojos. Los abrí. Paulo, de pie ante mí, tenía una expresión incrédula. Me miraba con la mueca vacía con que te observan los perros mientras ladean la cabeza y que, según los veterinarios, quiere decir "no entiendo".

—No chingues, güey. No estás pensando eso.

Me sacudí para dejar claro que no. Pero deben haberlo interpretado al revés porque fui incapaz de articular nada coherente.

—Claro que sí. Imagínate que llega a tu casa y me encuentra en la puerta, tan fresca, y luego sales tú muy bañadito. Eso cree.

En ese momento me di cuenta, por primera vez, de que su acento era familiar.

—¿Son parientes? —susurré, con menos entereza de la que hubiera querido.

Paulo sintonizó el canal del futbol. La gritería de loros amazónicos de los locutores nos envolvió.

—Es mi hermana mayor, güey. ¿No sabías?

Me temblaba la mano. Había hecho el ridículo, pero cuando menos los celos y la desesperación se esfumaron.

—Ni la más pinche idea.

Se rieron. Sus risas eran idénticas.

Las semejanzas terminaban allí. Ninguno de los dos era alto pero no parecían de la misma sangre. Paulo era colorado y de pelos claros: un cubo con brazos gruesos como ramas al que la cabeza le brotaba del pecho sin necesidad de cuello. Sofía, por su lado, era morena, de cabello enredado y negrísimo, ojos de princesa del desierto y las piernas más inquietantes de la década.

Tosí. Como no parecía que fueran a explicarme nada más, tuve que aclararme la garganta. Paulo estaba concentrado en el partido y fue su hermana quien retiró la vista de la pantalla.

—Sé que querías salir en listas en la prepa del centro, la pública. Cuando Paulo entró, imaginé que iban a toparse. Digo, él está más chavo pero tú perdiste un año, ¿no?

—Estuve enfermo…

—Eso. Le dije que conocía de la biblioteca a un güey que a lo mejor quedaba en su año y luego resultó que estabas en su salón. El Luis, le dije, uno que vive con su tía. No puedes confundirlo. También le sugerí que te ofreciera *ride* porque vives por este rumbo.

Ella estudiaba en una preparatoria más elegante que la nuestra, exclusiva para señoritas: su madre era opositora decidida de los estudios mixtos. Me reí porque no la imaginaba contenida por ninguna clase de dictadura materna, pero ella lo decía con seriedad. No vivía con su hermano, claro, sino en la misma residencia (también para señoritas) que habitaba en la época que la traté. Nunca la había visto por casa de Paulo por la sencilla razón de que el futbol le daba lo mismo y nunca iba a ver los partidos.

Le di un puntapié a mi amigo, quien tenía la vista perdida en el juego, para reclamar que en año y medio de conocernos no hubiera tenido la delicadeza de avisarme. Volteó a verme sin sombra de culpa.

—Pues no se me ocurrió.

Contrario a su hermana, una inquisidora natural que podía pasarse una tarde arrojándote preguntas de todo tipo sobre cualquier asunto que le interesara, e incluso sobre cosas de las que no querías hablar (y, mejor, especialmente sobre ellas), Paulo se conformaba con habitar un mundo en el que uno hablaba de futbol y muchachas y se quejaba de los maestros y los exámenes.

Sofía conocía a todo mundo, explicó Paulo. De hecho, allá en Casas Chicas había tenido tantos novios que perdieron la cuenta desde la primaria (Sofía puso los ojos en blanco al oír el dato, como si fuera un punto que estuviera harta de discutir). Todos conocían a su hermana, pues, y su hermana a todos: ésa era la verdad. Por eso no hablaba al respecto. La daba por sentada para la humanidad.

Me di cuenta de que Sofía no lo había puesto al tanto con claridad del tipo de relación que sostuvimos. Sólo le había dicho que yo era un huerfanito que se la pasaba metido en la biblioteca. Sentí la necesidad de escupirles, o al menos de manifestarles que me parecían unos imbéciles, pero en ese momento sonó el teléfono y Paulo me dejó a media frase.

—¿Bueno? Sí. ¡Qué pasó, pinche Rabín! ¿Dónde andas? ¿Ya estás listo? Llego el viernes.

"Alguno de sus cuates del pueblo", pensé. Le hablaban cada tanto, en el medio tiempo de los partidos, y Paulo desaparecía de la sala, se perdía en la recámara y en ocasiones volvía después de una hora. Justo eso hizo, dejándonos.

Sofía no era del tipo de las que dejan pasar las cosas. No se mordió las uñas ni clavó la vista en el televisor. Se cruzó de brazos y me rebanó con la mirada.

—¿Vas a ir?

—¿Adónde?

Resopló.

—Ya me dijo Paulo que te invitó a la casa.

—¿Tú vas?

Esbozó la primera sonrisa sincera de la tarde.

—No tengo más remedio. Tú sí.

—¿Remedio? ¿Cuál?

Sonaba más agresivo de lo que hubiera querido. Procuré contenerme.

—Pues no ir. A eso vine. A pedirte que no vayas.

—¿No? ¿Y perderme los diez bajo cero, las calles derechitas y los alacranes?

Sofía era capaz de sostener la mirada hasta que se sintiera el peso de su desaprobación.

—No vayas, güey. De verdad.

Como una marejada que se levantara arrastrando a los bañistas, la sensación de rabia regresó. Algún motivo turbio debía de tener Sofía para aparecerse de pronto, luego de su ausencia, y, por si fuera poco, emparentada con mi amigo. Algún motivo lo suficientemente horrible como para intentar convencerme de renunciar a mis primeras vacaciones en la vida y de abstenerme de visitar su pueblo levantado en mitad de la nada.

Sólo había una respuesta: no me quería cerca. Es más, me detestaba, a pesar de lo que pasamos juntos, y prefería decírmelo en vez de propinarme la humillación de viajar para ser despreciado.

—Ya estás pensando chueco de nuevo —advirtió—. Te veo la jeta.

—No estoy pensando nada —me defendí.

—Lo veo.

Paulo volvió y, sin reparar en el ambiente de telenovela que flotaba por los aires, se arrancó en el sillón. El partido se había reanudado y, con él, los berridos de la transmisión.

—¿Pasó algo?

—Ya empataron —dijo secamente su hermana.

No me había dado cuenta. Pero sí: el marcador ahora era uno a uno. Sofía no se perdía un detalle.

—Carajo —escupió Paulo.

Ella me miraba con insistencia de avispa. Movía los labios sin sonido. Es decir, pronunciaba algo que Paulo no debía oír. Pero yo no entendía una fregada. Nunca fui bueno para leer labios. Es decir, ¿por qué tendría que haberlo sido? Sofía, incólume, persistía. Me concentré. Intenté seguir las curvas y el movimiento de su boca e imaginé su voz, el tonito ronco, ese acento "vallense" con el que nunca antes la relacioné.

"No-va-yas-no-va-yas-no-va-yas."

Eso era.

La reté levantando la cara.

"¿Por-qué?"

"Por-fa-vor-por-fa-vor."

Sacudí la cabeza.

"Ex-plí-ca-me."

Me acuchillaba con la mirada. Su hermano manoteaba y reclamaba un penalti inexistente.

Sofía cerró los ojos.

"Aho-ri-ta-no-pue-do."

Me encogí de hombros. Quise decir "y a mí qué", pero me pareció demasiado complicado de gesticular y me limité a poner cara de que no estaba dispuesto a obedecerla. No esta vez. Fastidiada, volteó al televisor y siguió el vaivén de la pelota.

"Es-ta-no-che", dijo al fin.

Acepté con una inclinación de cabeza.

La noche. Ya sabía: tenía que ser en el parque.

No podía equivocarme de sitio.

Volví a temblar.

II

Escucho el primer disparo y no puedo creer que el objetivo sea yo. Pero lo soy. Es pura mala puntería lo que provoca que no me atine, porque dudo, titubeo, me congelo. Me cuesta entender y reaccionar. La corteza de un árbol acaba de brincar junto a mi rodilla. El grito que me sobresalta es mío...

Corro por una calle vacía. Iba a decir abandonada pero no: él está allí, no se ha ido. No sé quién es pero está presente, aunque invisible. Son tantos los disparos ahora que todo brinca a mi alrededor: pedacitos de pavimento, los vidrios de un parabrisas, las hojas de un naranjo atravesado.

No soy capaz de correr velozmente, lo hago con piernas de sopa, como en sueños, lento y torpe, y alcanzo a pensar que leí, en alguna parte, que alguien recomienda correr en zigzag si pasa esto; es decir, si te disparan. ¿Qué clase de recomendación es ésa? ¿Quién se puso a calcular el método para esquivar tiros? "Seguro uno que sobrevivió", me digo, y corro tal como creo que debe ser un zigzag; me bamboleo, pero a la vez sé que es imposible huir, que me acertarán.

Pero lo consigo. Llego a una esquina y la doblo. Un tiro pega en la plaquita con el nombre de la calle, que no reconozco ni me importa porque no sé dónde estoy. O, al menos, no con precisión.

Estoy, eso lo sé, en Casas Chicas y cerca del club de golf, porque las calles son amplias y silenciosas y veo una multitud de árboles impropia para la plancha requemada que es el resto del pueblo.

El club, claro: el Campestre Casas Chicas. Los barrotes blancos a la derecha marcan sus límites. Tras ellos, la alfombra de hierba, los lagos artificiales llenos de patos con cabeza verde, patos gordos a fuerza de comerse los restos de la botana que los jugadores les lanzan cuando se empanzan o se aburren de mascar. Cecina. Papitas. Trocitos de arrachera. Me lo contó Paulo hace mil años. Cuando aún era parte del mundo visible.

Encuentro un espacio entre los barrotes que me permite deslizarme dentro. Escucho los rechinidos de unas llantas que se aproximan. Será mi perseguidor. Casi he conseguido colarme pero no termino de pasar, los barrotes me aprisionan y amenazan con retenerme allí. Es una camioneta negra, veo, pero no tengo tiempo de esperar a que el tipo baje y reconocerle la cara.

No quiero morir como brocheta, ensartado en la reja del campo de golf de un pueblo horroroso. No quiero morir como mis padres, en manos de un pillo. No quiero.

Me debato como salvaje y, al fin, no sin dolor, no sin apachurrarme el pecho y joderme más la espalda, paso. Escucho un "plop", el crujido hueco de la reja escupiéndome al interior del recinto, ese jardín inmenso, ese oasis en el desierto furioso.

No: el disparo no es cosa de la reja, sino del enemigo. Atraviesa un barrote y rompe un banderín. Alguien tendrá que pagar por eso, me río, inaugurando la locura. Me pierdo en la alfombra verde y mi perseguidor queda atrás.

No me seguirá, deduzco. Se terminó la carrera. Nadie en Casas Chicas se atrevería a tomar por asalto el Campestre. Nadie fuera de mí, que reboto como un venado por los prados, ruedo colina abajo y termino al borde de un estanque, derribado, exhausto, medio muerto.

Bebo el agua con la prisa de un recién nacido.

La conocí de noche, agazapada en un parquecito, a la sombra que ofrecían unos arbustos para no ser detectado por las luminarias municipales. En realidad, ella me descubrió a mí. Sentí su mano en mi hombro. La otra se posó en mi boca para evitar que gritara.

—Shhhh. Nos va a ver, güey.

Llevaba una blusa blanca (quizá gris, en realidad, o quizás era la mala iluminación) y una faldita y estaba a mi lado.

—¿Cómo diste con el Ojo de Vidrio? —preguntó.

La historia era simple.

A mi tía le habían regalado un gato, un calicó gordo que había sido de una vecina que tuvo a bien morirse. Alguien, con un sentido del humor que me enfureció, se lo llevó a mi tía con el argumento de que estaba especializada en cuidar abandonados.

El gato se llamaba *Tacho,* un nombre impropio para una bestia que no tenía nada de simpática y se comportaba de forma ladina y vil. La tía se lo quedó y el gato pareció aceptar la mudanza. Se pasaba el día en el sofá de la sala y pronto sostuvimos encarnizadas luchas por el espacio. Si mi tía estaba en casa, el triunfador era el bicho, porque no me atrevía a echarlo. Si, por el contrario, se iba a misa, yo le lanzaba un cojinazo y Tacho escapaba a los bajos de la cortina y se quedaba allí, plegado sobre sí mismo, taladrándome con mirada de odio infinito.

Tacho podría fingir lo que quisiera pero no había renunciado a la vida activa. Cada noche, cuando la tía se recogía en su habitación, escapaba por la ventanita de la cocina. Si la encontraba cerrada, se ponía a maullar hasta que me levantaba a abrirle, antes de que la tía despertara (sucedió sólo una vez y provocó una de las reacciones más airadas en la historia familiar: "¡Ábrele la ventana a ese gato, caramba, o lo hago pozole!").

Tacho solía volver de madrugada, con las patas llenas de lodo y sangre (suya o de otros: pájaros o ratas, quizá), y exigía el desayuno con otra serie de maullidos. Luego ocupaba su plaza en el sofá y se entregaba a un sueñito reparador.

Un día no volvió. Dieron las cinco de la mañana, las seis y nada. A las seis y cuarto me fui a la escuela. Volví a las dos de la tarde y mi tía estaba lívida. Rezaba el rosario con frenesí.

—No regresó el animalito. ¿Qué hacemos?

Así descubrí que estaba enamorada de aquel calicó con sobrepeso y pésimo genio. No pude más que salir a la calle y buscarlo. Pero no fue sencillo. Me agaché bajo cada automóvil.

Me asomé por encima de cada barda y reja. Agitaba en la mano una pieza de pescado cuyo olor habría hecho, generalmente, que Tacho corriera como un caimán en su busca. Pero no di con él.

Otro par de gatos se asomaron a las ventanas de sus viviendas, bichos operados a los que atraía el olor del pescado pero no tenían intenciones de salir a robarlo. De Tacho, ni sus luces.

Llevaría horas dando vueltas cuando unos niños, que tenían rato siguiendo mis pasos desde una banquita del parque cercano (y cruzaban miradas cuando agitaba el pescado cada vez más seco y gritaba el nombre del bicho), me llamaron.

—Se te perdió tu gato —dijo la niña, que no levantaría más de un metro del suelo.

—Sí.

—Ya van varios —dijo el amiguito, que era panzón, dientón y llevaba unos lentes de cristales verdosos.

Me encogí de hombros y no repuse nada, de momento, porque nunca había sido bueno para establecer ninguna clase de diálogo con los desconocidos. Ellos se miraron y voltearon en perfecta sincronía.

—En esa casa los junta —y señalaron una finca oscura con la cochera rebosante de piezas oxidadas de autos ya muy pretéritos.

—¿A los gatos? ¿Quién?

—El Ojo de Vidrio.

La niñita mantuvo el dedo estirado.

El enemigo estaba allí, barriendo la banqueta con un escobón de jardinero. Un tipo barbudo, malencarado, largo como una palmera y con mirada asesina. Quedaba claro que su ojo derecho no era tal, sino una suerte de canica colocada a modo de relleno en la cuenca vacía.

—¿Ese güey?

—Sí.

—¿Y para qué quiere a los gatos?

Los niños volvieron a mirarse.

—A lo mejor se los come.

—A lo mejor los vende.

El tipo trabajaba, según me dijeron, pero su puesto no era de nivel directivo, deduje, porque iba hecho una porquería. Al anochecer salía de casa en ropas sucias y harapientas, susurraron los niños. Volvía de madrugada y era entonces, creían, cuando atrapaba a los gatos, a los que quizás atraía con alimento.

—A veces trae carne en las manos —dijo el gordito.

Malditos gatos golosos.

El tipo se metió a su casa y me acerqué. Llegué a la reja. No debí hacerlo. El sitio apestaba a mierda. Era infame. Si allí había gatos, los habían hecho empanadas hacía tiempo. Hui sin atreverme a pulsar el timbre. Los niños me esperaban.

—Nadie se anima.

—Y mejor, porque yo creo que el Ojo carga pistola.

Me congelé. Mi amor por Tacho no daba para tanto. Estaba a punto de aceptar el fracaso cuando el Ojo de Vidrio volvió a la calle. Se había puesto gabán; de su espalda colgaba una mochila. Se iba al trabajo. Comenzaba a oscurecer.

Era momento de actuar.

No pensaba renunciar a las vacaciones en Casas Chicas. Además hervía en deseos de escupirla luego de su larga desaparición. Por ello resultaba urgente hablar. La esperé en el parque, unas calles más allá de casa de la tía Elvira (iba a escribir "mi casa", pero no era verdad). Aunque no acordamos un sitio concreto, era claro que no podría haber otra sede. Teníamos historia allí.

La noche comenzaba a extender sus pies y la temperatura bajaba y rasguñaba manos y nariz. La casa que fue del Ojo de Vidrio seguía en su sitio, claro, pero repintada y limpia. Un sabueso color chocolate paseaba por la cochera. Ahora la habitaba una familia convencional: aquel auto nuevo, en cuyas llantas orinaba el perro, lo hacía indudable.

Evité el parque durante mucho tiempo luego de que dejamos de vernos. Quizá por ello lo encontré, aquel día, más verde de lo que recordaba. Algún funcionario se había gastado un buen dinero en cubrirlo de matas y colocarle adoquines y cartelitos en los que se regañaba preventivamente a los visitantes: "No tires basura", "No dejes que tu perro ensucie", "No pises el pasto", "No juegues futbol". Había también basureros nuevos y hasta mangueras de riego.

El viejo teléfono público había desaparecido y lo sustituía otro aparato desde el que no era posible hacer llamadas con una monedita, sino que exigía una tarjeta especial cuyo crédito se agotaba a una velocidad alucinante. El mundo había cambiado, pues, y no era fácil habituarse.

Sofía apareció a las nueve. Venía envuelta en un abrigo, sin maquillar. Al mejor estilo de la época en que nos conocimos. La garganta se me llenaba de ácido y las manos me sudaban, pero me mantuve digno. Al menos eso creía. Me dio un beso y se sentó a mi lado en una de las bancas metálicas, esas mismas festoneadas y pintadas de verde que hay en todos los parques. Esperé a que abriera fuego.

—¿Cómo estás? ¿Todo bien? ¿Todavía vives acá?

Decidí interrumpir porque ese comienzo no auguraba el tipo de plática que buscaba.

—¿Dónde estuviste metida?

Nunca fue de las que se intimidan. Me miró de reojo y subió los zapatos (grandes, pesados, una suerte de calzado escolar hipertrofiado) a la banca. Se frotó las manos, una contra la otra, como si tuviera frío.

—Aquí. Estudiando.

Tuve que apretar los puños. "Muy propio de ella hacerse la interesante", me dije.

—¿Por andar estudiando no volviste? ¿Así?

Sonaba absurdo hasta para ella misma.

—No. Pero he estado ocupada. Ya no… Ya no podía salir así.

"Así" significaba, al parecer, conmigo.

Escupí al suelo. Era evidente que no quería decir mucho más. Pero mi arsenal no estaba agotado.

—¿Y cuál es la bronca con ir a tu pueblo?

Ella resopló.

—No es un pueblo. Es una ciudad pequeña. Y no te va a gustar.

—Seguro que no. Pero ésa no es la cosa. No voy a que me guste.

Clavó la mirada en la casa que fuera del Ojo de Vidrio. Nada en la fachada colorida recordaba la clase de agujero oscuro y pestilente que solía ser.

—¿Te acuerdas?

Sacudí la cabeza. No deseaba pensar más en ello, aunque llevaba buena parte de la tarde dándole vueltas a los recuerdos. Quería la respuesta que Sofía ocultaba.

—Siempre.

Me miraba con ojos azabache y una expresión difícil de interpretar. Me eché para atrás. Sofía había pasado de presa a perseguidora y, claro, me intimidó. Como si fuera yo el que tuviera que dar explicaciones.

—No vas a ir, ¿verdad?

—Claro que sí.

Se encogió de hombros. Antes, en la época en que nos tratamos, no se habría conformado jamás, sino que me habría acorralado hasta hacer evidente su triunfo. Quizás era que ya no confiaba en mí. O que no quería verme allá, en su propia casa.

—No son sólo vacaciones. Festejarán las bodas de oro de mis abuelos. Conocerías a cuatro mil tíos. De verdad, no quieres eso.

Paulo no me había advertido nada. Tan sólo de imaginarme la mesa de los festejados, el trajecito que tendría que rebuscar en el armario de la ropa vieja, la corbata ahorcándome y la rebanada de lomo rodeada de puré del hipotético banquete se me quitaban las ganas de viajar. Por otro lado, no era tan ingenuo como para suponer que Sofía se tomaba la molestia de desalentarme por alguna clase de compasión o simpatía. La conocía. Eso nunca.

—Seguro que se pone buenísimo.

Bajó los zapatones de la banca. Ahora me parecía increíble cómo la forma exacta de su cara, sus rasgos, esa nariz y esa boca y sus ojos negrísimos no me hubieran capturado desde el primer minuto. Habían pasado unos días antes de que sucediera (o, mejor dicho, de que lo aceptara). Para entonces ya éramos cómplices, y salir de esa posición resultaba un esfuerzo que no estuve en condiciones de hacer.

—Bueno. Te aviso. No creo que te vayas a divertir.

Era el momento de decir que me bastaba tenerla cerca por unos días para que valiera la pena el viaje, pero nunca fui de los que dicen las cosas.

Era el momento, también, de darle la cartita sentimental que le había escrito hacía tanto tiempo. La carta en la que confesaba todo. Pero no tuve valor. El sobre no salió del bolsillo de mi chamarra, otra vez. Cerré la boca y ya.

—Creo que ese güey tiene a nuestros gatos —declaró la desconocida—. Hay que entrar.

Había aparecido a mi lado cinco minutos antes y ya estaba dando órdenes. Yo seguía apertrechado tras los arbustos y mi visibilidad era estupenda: podía espiar la espalda del Ojo de Vidrio, que se alejaba calle abajo.

—Me llamo Sofía.

—Luis.

Tendría más o menos mi edad, unos catorce entonces. Era más bajita que yo pero muy espigada. Delgaducha, morena, el cabello caído sobre los ojos. Miraba fijamente al enemigo, que daba vuelta a la esquina en aquel momento. Sin darme tiempo a responder, salió a rastras del escondite y se dirigió, cautelosa y veloz, a la casa. Avanzaba encorvada, los brazos revoloteando como si nadara en vez de caminar. Pronto estuvo al otro lado de la calle y saltó la reja metálica de un solo movimiento. Era una pantera.

Quise imitar su paso y sólo conseguí que el par de niños del parque, que ocuparon nuestro puesto detrás de los arbustos, rieran. Pero la curiosidad se les terminó y se alejaron, aún jugando, como un par de duendes del bosque.

La peste a mierda destrozaba la nariz. El metal de la reja estaba seboso. Me impulsé para subir y lo conseguí, pero al precio de hacerme un arañazo en la pernera del pantalón. La tía Elvira tendría que zurcirlo y acabaría regañado por el descuido. Ay.

Aterricé cerca de unos bultos de periódicos amarrados, junto a unos costales rebosantes de latas carcomidas y cartones reblandecidos. Había, además, un montón de autopartes, tan oxidadas que comenzaban a parecer rocas. El olor era imposible:

taladraba la nariz, subía por la garganta y le daba a la lengua un sabor amargo, bajaba al estómago y lo pateaba. Tosí y tuve que contener las ganas de vomitar allí, sobre la basura.

La chica estaba en la puerta y la embestía con el hombro. Como ya he dicho, no era fornida, sino todo lo contrario, y parecía claro que jamás sería capaz de mover el rectángulo crujiente. Me equivocaba: no estaba empujándolo sino maniobrando con una lima metálica. Se escuchó un chasquido y la puerta se abrió. La lima cayó, en silencio, sobre los periódicos. Supuse que la habría obtenido de por allí, entre el revoltijo de tornillos, herramienta y alambres que brotaban de cajones enmohecidos y empaques purulentos.

Volteó a verme con impaciencia, como si le pareciera demasiado lento para acompañar sus planes. En ese momento debería haberme largado y mi vida habría sido diferente. Pero algo me obligaba a seguirla. Quizá que no tenía a nadie más a quien seguir. Por ello, me apuré a alcanzarla en el recibidor. El aroma era nauseabundo y costaba respirar. Una luz eléctrica, débil e irregular, bañó el pasillo. Mi camarada de incursión había dado con un apagador. El aspecto de la vivienda era repulsivo. Paredes descascaradas y costrosas a la vez, hinchadas de humedad, vencidas de polvo y manchadas por un tizne que quizá fuera grasa. No había cuadros o fotografías alegrando el muro ni mobiliario visible debajo del apilamiento sin fin de papeles, plásticos, ropa, restos y desperdicios. Un conjunto de cabezas de muñeca despojadas de cabello se arremolinaba junto a unos botes que fueron transparentes y ya eran opacos, y en los que el Ojo de Vidrio resguardaba una colección de pilas agotadas, chorreantes.

El cuarto que debía ser la cocina resultaba aún más insoportable. El techo era una mancha parda. La estufa estaba tan cochambrosa que costaba creer que fuera capaz de dar fuego todavía. No había refrigerador, solamente hieleras baratas de unicel, en las que encontramos empacados unos filetes de carne de apariencia pálida y babosa. Estuve, cómo no, a punto de volver el estómago.

Fue entonces cuando oímos el maullido.

Sofía fue la primera en reaccionar. Se precipitó pasillo arriba hasta llegar a un salón oscuro. Rebuscó por la pared y dio con el interruptor. La mezquina luz nos mostró una estancia ancha y vacía, en la que apenas eran visibles una silla, un televisor sostenido sobre cajas de cartón y un par de pantuflas deshilachadas. Al fondo, un cortinaje polvoriento cegaba lo que quizá fuera un patio. Volvimos a oír el maullido y no dudamos: había un gato allí. Jaloneamos las cortinas y levantamos tal nube de polvo que volvimos a toser.

Ya no pude contenerme: vomité el almuerzo y el agua que había bebido antes de salir en busca de Tacho. Un charco traslúcido se unió a las pantuflas. Ella me miró con algo que no supe si interpretar como enojo o pena. No hizo mayor caso. Luchó contra la puerta metálica que contenía el ventanal y consiguió deslizarla por el riel que la sostenía.

Los gatos estaban en el patio, en el único espacio libre de basura. Los rodeaba un apilamiento extraordinario de cajas vacías, botes volcados, jaulas rotas, restos desconocidos y hasta un montículo de piedras negras que parecía un sepulcro. Eran dos. Uno, volcado sobre el costado, con la lengua de fuera e inconsciente, era Tacho. El otro, que maullaba con una fragilidad escalofriante, sería el suyo. Tomamos en brazos a los animales y, a la carrera, desandamos el camino a la puerta.

El gato de la tía Elvira respiraba con lentitud. Intuí que estaba dopado. Había visto cientos o miles de sus siestas y aquella inconsciencia era totalmente inaudita en un bicho que, por regla general, parecía eléctrico. Hubiera querido tomarle el pulso pero no tenía la menor idea de cómo sacar a un gato del sopor inducido por la anestesia.

En la puerta de la casa estaba el Ojo de Vidrio, que había vuelto. Llevaba un cuchillo en la mano.

Sofía se había exasperado y terminó por soltarme un inapelable "haz lo que quieras". Luego se marchó. La espanté en lugar de atraerla: soy un pendejo. Eso me dije. Decidí volver. Caminé tristemente por la vereda del parque. La Calma, se llamaba aquella colonia, no sé si con ironía, porque además de un tráfico atroz e incesante, a lo largo de los años había sido una zona que solía aparecer en los titulares por las balaceras, los secuestros y los "macabros hallazgos" en cajuelas y jardines.

Mi tía Elvira (y yo con ella) vivía un poco más allá, al otro lado de la avenida López Mateos, en una colonia llamada Las Águilas, mucho menos adinerada, sí, pero en la que no había tanto relajo. Pero Las Águilas no era un sitio para ir de paseo. Estaba repleta de casitas que se apretaban en unas calles desniveladas que subían al Cerro del Tesoro (denominado de tan esperanzada forma a pesar de que nunca ocultó ninguno, que yo sepa), mientras que en La Calma había parques y arboledas.

La Calma. Siempre envidié esas vías amplias y sombreadas, esas casas con dos o tres automóviles en la cochera, esas antenas de televisión satelital que permitirían, a quienes las tuvieran, escapar de la pesadilla cotidiana de las telenovelas que la tía Elvira veía embobecida cada noche.

A veces, cuando había tenido un mal día en la escuela, salía a caminar por ahí e imaginaba que vivía detrás de uno de esos enrejados señoriales y que mi madre era alguna de las damas que aparecían en sus camionetas, maquilladas, peinadas y enfundadas en ropa de hacer ejercicio, aunque quizá nunca lo hicieran. La idea terminaba por ser tan desalentadora que prefería olvidarla.

Uno no puede pasarse la vida instalado en el psicodrama. Siempre hay problemas que sustituyen a los anteriores para torturarnos. En mi caso, la nueva alucinación era Sofía. Luego de la aventura con el Ojo de Vidrio, que fue más torcida y compleja de lo que hubiéramos podido prever, seguimos frecuentándonos. Estaba por escribir que la había ayudado con un par de problemas, pero, a decir verdad, las mayores aventuras que tuvimos (de las que quizá tenga ocasión de hablar más extensamente después) transcurrieron en las discretas sombras del parque. En fin.

Tardé algunos días en asumir que, además de la amistad refrendada en correrías extravagantes y de la admiración que me provocaba su autocontrol de hierro, Sofía me gustaba. Y me llevé otro tiempo más en concebir la forma de decírselo.

Compré una libreta en la papelería y me puse a dibujar esquemas parecidos a los que veíamos en la clase de matemáticas. Fui puliendo un discurso en el que le diría de manera clara lo que me pasaba por la cabeza. Asalté varios títulos de la biblioteca para tomar ideas y hasta intenté con uno llamado *Notas para un discurso amoroso*, o cosa similar, del que no entendí una palabra.

Sofía tenía otros planes.

Como nunca nos vimos en otro lugar que no fueran los parques (siempre a iniciativa suya) y como su método para dar conmigo consistía en dejar mensajitos en el tablero de la biblioteca a la que solía ir, el día que decidió interrumpir sus comunicaciones no tuve forma de dar con ella. No sabía su segundo apellido. Desconocía su dirección o teléfono y hasta el nombre de su escuela, y el encargado de la biblioteca no supo decir nada al respecto de la chica que, cuando quería saber de mí, clavaba un mensaje con una tachuela en el tablero de corcho destinado a los usuarios.

El discurso amoroso se quedó inédito. Lo había completado, luego de varias sesiones, y lo había transcrito con sumo cuidado en unas hojas blancas que deposité en un sobre, blanco también, al que había colocado su nombre con letras recortadas de una revista.

Hubiera podido dejarlo en el tablero de la biblioteca y esperar el milagro, pero me preocupaba que algún usuario ocioso o maligno se lo apropiara y consiguiera, de un oculto modo, descubrirme como el autor y me exhibiera. En el fondo, debo reconocer, mi miedo consistía más bien en que la cartita quedara allí para siempre, crucificada en el corcho como testigo de mi fracaso.

La conservaba aún, al fondo de un cajoncito. La releía de cuando en cuando. No me sentía igual que cuando la escribí pero no me avergonzaba aún lo suficiente como para destruirla. "Debí llevarla al parque y dársela", me dije de pronto. "Debí dejarle esa incomodidad en vez de quedármela."

No le di la cartita, claro, porque siempre fui cobarde. Pero lo pensé. Al menos ahora tenía un dato definitivo sobre quién era Sofía. La hermana mayor de mi amigo.

Embestimos como una estampida de vacas al Ojo de Vidrio y su cuchillada silbó sobre mi cabeza (menos mal, porque de otro modo es más que probable que la historia terminara aquí). No repetiré las mentadas de madre que nos dirigió mientras nos perseguía por la cochera, la banqueta y el parque y que siguió lanzando incluso cuando tuvo que detenerse a recobrar aliento, con las manos en las rodillas, mientras nos alejábamos. Baste decir que nos llamó ladrones, bolsones, hijos de tal por cual y prometió perseguirnos por siempre.

Resollando, conseguimos alcanzar López Mateos y cruzarla. Por alguna razón eso me dio cierta tranquilidad. No imaginaba al Ojo de Vidrio paseándose frente a los policías que siempre estaban estacionados, perdiendo el tiempo, en el supermercado que se levantaba justo en la avenida. Un muro divisorio muy conveniente.

Tacho me miraba entre sueños, la lengua de fuera, los ojos húmedos, la respiración débil. El gato de Sofía, en cambio, que era incluso más gordo, parecía espabilado y sano. A la vuelta de casa de mi tía había una clínica veterinaria y sugerí que nos dirigiéramos allá.

Nos recibió una mujer con batita profesional y un estetoscopio al cuello. Era la doctora. En pocas y entrecortadas frases le referimos la parte más cándida de la aventura; es decir, que habíamos rescatado a nuestros mininos de manos de un secuestrador y temíamos que estuvieran sedados, envenenados o al borde de la muerte (omitimos el hecho de que el sujeto podría estar buscándonos armado de un cuchillo para no presionarla demasiado).

Nos miró con escepticismo y nos condujo a la salita de revisiones. Depositamos al par de gatos gordos sobre una plancha metálica parecida al pretil de acero de un restaurante.

—Vamos a ver —dijo, y le metió un abatelenguas en el hocico a Tacho, al que la medida le hizo tanta gracia como ser desollado. Comenzó a bufar con rabia inmortal pero la mujer sabía bien cómo manipularlo. Lo tomó de las axilas (dando por sentado que así se llamen las junturas entre las patas delanteras y el pecho de los gatos, asunto que no pienso investigar) y lo contuvo. Hizo otro tanto con el de Sofía. Se había puesto unos guantes de látex que tiró a la basura cuando dio por finalizada la revisión.

—No tienen nada.

Nos miramos con alarma.

—¿Nada?

—¿No están envenenados?

—No.

—¿Ni enfermos?

—Nada.

Tacho, echado en la planchita, me miraba con rencor.

—Entonces, ¿cómo es que los encontramos inconscientes? Ni siquiera quisieron correr.

La mujer se encogió de hombros.

—Quizás estaban durmiendo. Comieron mucho. Muchísimo. Les suena el estómago. Y el hocico les huele. Creo que les dieron carne.

En ese momento los gatos comenzaron a relamerse. Estaban empachados. ¿Qué demonios les había dado el Ojo de Vidrio a lo largo de su cautiverio? ¿Los filetes que tenía almacenados en las hieleras? ¿Para qué los secuestró? Parecía extraño que su intención fuera conservarlos en aquella pocilga apestosa.

Sofía se puso a rascarle el lomo a su animal. El gato comenzó a jugar con sus dedos, a darle mordidas y a arañarla con las patas traseras. Se enderezó, se estiró largamente y comenzó a ronronear. Tacho, por su parte, bostezaba. Ya no parecía nervioso pese a la noche fuera de casa y su paso por la cueva de aquel pillo alarmante. Me miraba con la fría desaprobación con que los gatos tratan a los siervos que se pretenden sus amos.

Al menos, me consolé, la doctora no quiso cobrarnos por la consulta. Tampoco es que hubiera llevado encima dinero como para pagársela.

43

III

Huir es complicado. Hacerlo por una ciudad extraña linda con lo imposible. No sabe uno para dónde jalar.

El mapa entero de Casas Chicas cabe en mi cabeza, y eso que sólo lo vi un par de veces. Pero no descifré mucho de él, únicamente recuerdo que alrededor del Campestre hay dos colonias de mansiones con calles extensísimas, servidumbres de hierba y árboles que se deben chupar la poca agua con que los locales riegan el campo de golf. Circular por ahí es convertirse en un blanco sencillo, decido.

Lo que me conviene es ir al centro, donde las calles son más apretadas, donde hay un par de templos, unas oficinas de gobierno (cerradas por vacaciones) y decenas de comercios repletos de letreros que dicen "Juguete americano importado" o "Pantalón talla extra", en singular, como si sólo hubiera disponible un ejemplar de cada uno.

No: lo que me convendría sería largarme lo más pronto posible. Pero cómo haré para encontrar quién me lleve al aeropuerto, que está a más de una hora en automóvil. Cómo haré si también me están esperando allá.

A paso veloz, logro cruzar los prados y alcanzo la casa club, un cuadrado de ventanales sellados para que el calor o el frío que asolan el lugar, según la época del año, no perturben a los socios. Abro la puerta y un mesero me mira con desprecio. No *debe gustarle mi ropa rota ni mi aspecto sudoroso. Comprendo que no es buena idea seguir y vuelvo sobre mis pasos.*

Pese al sol que luce en los cielos, el aire está helado. Quizá mi chamarra con la cartera y mis dólares se encuentra en algún rincón de la casa a la que me llevaron, pero no pienso volver. A lo mejor ni siquiera podría dar con ella. ¿Qué voy a hacer sin dinero? El frío está cerca de vencerme. Rodeo la casa club y al final de un andador encuentro una serie de contenedores de basura y una fila de empleados empeñados en quitarse los uniformes. Esperan a que un autobús de transporte laboral termine de maniobrar en el estrecho estacionamiento de servicio. Huelen a pescado en descomposición, a hierba, a agua de colonia evaporándose en el cogote de quienes alcanzaron a ducharse.

Me rasco la cabeza y tomo el último lugar de la fila, como si fuera uno más, uno que esperara que lo llevaran a su casa al otro lado del pueblo. Nadie, por fortuna, repara en mi llegada. Todos conversan, se cuentan unos a otros lo que van a regalarles a sus hijos o nietos en Navidad.

"Juguete americano importado, pantalón talla extra." Esas cosas.

Estoy perdido en el lado equivocado del país, perseguido por un orate a quien no le he visto la cara. Todo lo que uno necesita para ser feliz.

El autobús arranca. Ocupo el último asiento, un par de filas alejado de los empleados. Traqueteante como dinosaurio, el vehículo sale a la calle. Las ventanillas, cerradas, aíslan del frío y el sol. Una película oscura las cubre y consigo un poco de ansiada invisibilidad.

Cuando el autobús gira, para tomar velocidad por la avenida que corre junto a la puerta del Campestre, aparece por ella una camioneta negra. Sé que es desde la que me dispararon. Consigue pasar la pluma de seguridad y entrar al estacionamiento. Mi perseguidor bajará a buscarme, registrará cada metro cuadrado del Campestre y no dará conmigo. Esa íntima satisfacción me queda.

El camioncito sigue su curso.

Ahora necesito regresar, bañarme, dormir unas horas, comer.
Yo no sé si esto tiene que ver con lo de Paulo. Y tampoco sé qué
demonios pasa en este pueblo de enfermos.
Debí quedarme en casa.

Llegué a Casas Chicas en un avión tan retrasado que en vez de aterrizar a la medianoche lo hizo al amanecer. Era la primera vez que volaba y seguía sacudido: el avión sólo necesitó dos horas para llegar desde Guadalajara, pero para mí la sensación de volar fue similar a la que habría experimentado si un gorila me hubiera lanzado por los aires y otro, no más amable que el primero, me hubiera atrapado y depositado en tierra sin mayor ceremonia.

Odié volar. El paisaje desde el cielo era ridículo: tejidos imposibles de rocas, hierba, nubes, agua, tierra. Las cicatrices curvas de las carreteras, las costras de pueblos y ciudades, punteadas de luz.

Mi desayuno había consistido en la bolsa de cacahuates y el vasito de refresco que ofreció la azafata. Sentí el proceso de acercamiento hacia el aeropuerto como si tripulara un carrito de montaña rusa que bajara unos escalones gigantescos. Al bajar, estaba desmayándome y más asustado que un perro que acabara de cruzar el Periférico. Llevaba al hombro una mochila con mi libreta de anotaciones, un par de libros y el *walkman*. (Habrán oído de ellos. Eran como cualquier aparato para oír música pero en vez de archivos digitales usaban cintas magnéticas que tenían la costumbre de enredarse y convertirse en puro ruido.)

Así era la vida y debíamos aceptarla.

Recogí la maleta en una chirriante banda, la única de la terminal. Decir que el Aeropuerto del Valle era pequeño resulta modesto. Era un enano deforme, aderezado por una pista terregosa y unos puestecitos con revistas, periódicos, dulces típicos y paquetes de cecina empacada al alto vacío por toda concesión al comercio.

Afuera no había una sala de espera, propiamente, sino un pasillo repleto de maletas despanzurradas y aduaneros que les revisaban las muelas a los que habían llegado en el vuelo de San Diego. Tuve que eludirlos y saltar entre pacas de ropa y montoncitos de carros con luces. "Juguete americano importado y pantalón talla extra", decía el volante que me entregó un tipo que había conseguido pasar y se había aplastado a ofrecer su mercancía en la puerta del fondo, junto al sitio de taxis. Policías con puños apretados como tiras de cecina fueron a quitarlo de inmediato.

Se suponía que Paulo iba a pasar por mí. Debí llamarlo cinco veces a lo largo de la noche, a medida que el vuelo se retrasaba, para alertarlo de los cambios de itinerario. A las dos y media de la mañana dejó de responder el teléfono: quedamos en que marcaría en ese momento al aeropuerto para que le dijeran la hora precisa del aterrizaje y yo, entretanto, le permitiría dormir.

El resto de los pasajeros estaba ya en movimiento. Abordaban taxis o eran recogidos por sus parientes, que los ayudaban a trepar en las cajas de sus *pickups* las maletas y las pacas de equipaje que los acompañaban. Pasó una hora arrastrando los pies en el reloj como una vieja necia.

Paulo no aparecía. Comencé a enfurecer. Encontré un teléfono público y marqué el número de su casa. Respondió una voz que no pude identificar. Se escuchaba un jolgorio de estática y ruido y la señal parecía tropezarse.

—Soy Luis. Ya llegué —repetí tres o cuatro veces.

La voz informe respondió algo que no comprendí. Antes de que cortara pude reconocer dos palabras: "Ya voy".

El hambre era tan intensa que me insultaba. Me senté a mascar un poco de cecina empacada al alto vacío. Los aduaneros dejaron pasar a los pasajeros que faltaban; les quitaron la mercancía a unos, aceptaron sobornos de otros. El estacionamiento pasó de una kermés de camionetas a un rectángulo vacío, con un único taxi olvidado en el rincón.

La línea del horizonte sólo era inquietada por la lejanísima sombra de las montañas. Hacia el otro lado se destacaba la silueta de un cerro solitario. El policía que custodiaba la puerta me miró con piedad y, aunque no estaba permitido sentarse en aquella jardinera reseca (en la cual debieron plantar matorrales de ornato pero no había más que pedrera), no me exigió largarme.

El frío mordía a pesar del solazo. Terminé la cecina y eché la bolsa al basurero, detalle risible porque había decenas de restos de empaques arrojados de cualquier modo en el suelo y nadie parecía molestarse.

Por la carretera se levantó una columna de polvo. Era un automóvil que se fue dibujando entre la neblina. Enorme, oscuro y sucio, tan largo que parecía carroza funeraria, y conducido de manera temeraria, a velocidad excesiva, entró al estacionamiento saltando una fila de topes y fue a detenerse, con rechinido de frenos agonizantes, diez metros delante de mi puesto de vigilancia.

Pegué un brinco. Mi mochila rodó al suelo y la maleta se derrumbó con un lento abatimiento. El policía bostezó.

Del auto bajó Sofía. Llevaba un suéter de botones, un vestido de colorines y zapatos de piso, de ésos que las chicas llaman "de monjita" y que jamás le hubiera imaginado puestos. Se acercó hasta donde intentaba, sin fortuna, deslizarme al suelo sin rasparme.

—Vámonos.

La miré con resentimiento.

—¿Y tu hermano?

Suspiró.

—No sé. No está en la casa. Por eso vine.

No hice el menor movimiento. Estaba, debo decirlo, bastante ofendido.

—Pinche Paulo.

Sofía no parecía tan en control de las circunstancias como acostumbraba. Se impacientó.

—¿Vienes?

Tomé mis cosas y la seguí. La cajuela del auto-carroza estaba ocupada por unas bolsas del supermercado rebosantes de comida, latas de cerveza, botellas de alcohol de todo tipo. Apenas logré acomodar mis pertenencias.

—Tuve que comprar cosas para la casa antes de llegar —justificó.

Abrí la portezuela. Había un tipo en el asiento del copiloto. Grandote, moreno, vestía como un contador público en vacaciones: con suetercito y pantalones de pinzas. Sonrió y me extendió la mano.

—Quihubo. Soy Rabín.

No pude más que escupir en el suelo.

Luego de nuestra escapatoria de casa del Ojo de Vidrio y la visita al veterinario, tardé en toparme otra vez con Sofía. Nos habíamos confesado nuestra mutua curiosidad por el asunto de los gatos y acordamos indagarlo y poner a las autoridades tras la huella del secuestrador, pero ella se fue sin darme un solo dato. Anotó la dirección de mi tía en un papelito y deslizó, simplemente, que me buscaría.

Pasó un tiempo. Volví a verla como por casualidad en la biblioteca que frecuentaba. Quisiera contar que en el momento de tomar un libro descubrí que ella quería jalarlo también o alguna de las clásicas escenas de aficiones compartidas, pero sería falso. Ella me descubrió: había ido a buscarme a casa de la tía y, al verme salir, me siguió.

La biblioteca era mi lugar favorito del mundo, y eso no es cualquier cosa. Como no tenía dinero para comprar más que los libros de la escuela (la tía sacaba monedas o algún pequeño billete de la cartera que siempre la acompañaba y colocaba el dinero en mis manos abiertas con mueca de angustia) comencé a buscar una biblioteca apropiada y, luego de algunas decepciones y vueltas inútiles, la encontré.

Quizás algunos vean con escepticismo el hecho de que mi pasatiempo preferido fuera la lectura. Es verdad que nunca ha sido la actividad más popular, y mucho menos desde que hay espléndidos videojuegos disponibles, por no hablar de la red en sí misma. Claro. Pero yo no contaba con tan excelentes alternativas, nadie las tenía en aquellos días, y debí buscarme otras ocupaciones. Vi mucha televisión en alguna época, pero la abundancia de programas espantosos y la repetición infinita de los que me agradaban lo convirtió en una tortura. La radio nunca me atrajo: odiaba que los locutores encimaran sus voces sobre las canciones, detestaba que dieran consejos, como si soplar en el micrófono los dotara de alguna clase de sabiduría, y terminaba fastidiado por la cantidad de idioteces con las que eran capaces de poblar horas enteras. Comencé por leer los cuentitos que me compraban mis padres y cuando murieron me aficioné aún más, lo he contado ya, para escapar del horroroso clima de la escuela.

La Biblioteca Cultural del Sur estaba ubicada en un lugar rarísimo: el fondo de un parque en la falda del Cerro del Tesoro. Por ahí ya no se llamaba Las Águilas, el barrio, sino Pinar de la Calma, un lugar con camellones cubiertos de hierba, árboles espolvoreados aquí y allá y una serie de parques que en nuestro lado del cerro quizás existieron en la prehistoria pero ya habían sido aplastados y fincados.

El bibliotecario era uno de los tipos más peculiares que he conocido. Un entusiasta de los modelos para armar (se pasaba las horas dedicado a ensamblar juguetes a escala, que desplegaba sobre la mesa de la recepción). Era flaco y pálido, de edad indefinida (lo mismo podría haber tenido veinte que cuarenta y cinco años) y capaz de ponerse camisa y pantalones de vestir acompañados por un par de tenis fosforescentes. Embebido en sus pasatiempos, rara vez levantaba la cara del mostrador. Tardé un par de años en saber que se llamaba Mateo.

Gracias a las debilidades del bibliotecario y a la languidez con que los benefactores revisaban los contenidos, el lugar era una maravilla. Pese a que mesitas, sillones y libreros estuvieran destartalados y polvorientos, los adoraba. La tía Elvira sólo se paró una vez allí, por cierto, para constatar que existiera y mis visitas no fueran una nueva excusa de evasión.

—Aquí no hay mucho que valga la pena —fue su dictamen.

Pero lo había. En medio de una tonelada de cosas que no estaba dispuesto a leer o leería mucho después, encontré, sin excepción, libros fascinantes (casi todos, en el fondo, iguales entre sí, pero qué importaba) sobre mundos raros, criaturas imposibles, civilizaciones apócrifas, héroes de primera, segunda o tercera pero siempre animosos, reyes fríos y despiadados y muchachas fuertes y admirables. La felicidad, quiero decir.

Solía darme una vuelta por allí los viernes y sábados, una vez libre de trabajos escolares y seguro de que podía quedarme hasta que llegara la hora de cerrar (según las reglas, las nueve de la noche, aunque no era infrecuente que Mateo, concentrado en alguna navecita despiezada, terminara por echarme más cerca de las diez). Mi espacio natural era la mesa del rincón, que era inmejorable: a salvo de la corriente de aire, iluminada por un ventanal y rodeada de libreros repletos. Allí estaba, perdido en mitad de las invasiones de un ejército monstruoso a un reino inocente, cuando alguien jaló la silla vecina, que daba la espalda a la sala principal.

Respingué. Era Sofía, otra vez.

Llevaba un libro en la mano y una sonrisa petulante en los labios.

Rabín tenía cara de imbécil, era hijo del dueño de un café y se enorgullecía de haber sido elegido capitán del equipo de clavados de su preparatoria. En realidad, se llamaba Rabindranath, porque a su padre le dio por admirar a un poetón indio con tan lindo nombre y se le ocurrió que era buenísima idea ponerle así a su hijo menor (había, claro, dos hermanas: Sol y Luna). El berrinche de la madre no alcanzó más que para añadirle un "José" al espanto. Así que el muchacho se llamaba José Rabindranath, le decían Rabín (lo repetía sin cesar) y contaba la retahíla de datos sin soltarle a uno la mano. Al hablar escupía pequeñas gotas de saliva que iban a estamparse en la cara de su interlocutor. Lo odié de inmediato.

Sofía iba al volante de la carroza y Rabín ocupaba, como dije, el sitio del copiloto. Me mandaron al asiento trasero. Las ventanillas no cerraban bien, el polvo de la carretera entraba en forma de tolvanera y me ahogaba. Sofía, aprovechando que el camino era una recta sin fin, aceleraba a fondo. Por su lado, el asno de Rabín se preocupaba por sintonizar a los Beatles en la radio. La enorme antena no debía servir porque las canciones sonaban fantasmales y se perdían por momentos. Mi furia, por supuesto, no hacía sino crecer.

—¿Adónde vamos? —pregunté.

51

Nadie respondió.

Siempre he tenido problemas para hacerme oír. A veces hablaba en voz demasiado baja y la gente no me escuchaba, o lo hacía excesivamente rápido y no entendían un carajo de lo que decía. Repetí dos veces la pregunta antes de que Rabín dejara de admirar el reflejo del sol en el parabrisas y, sin decirme nada, tocara el brazo de la conductora.

—Te hablan.

—A la casa —respondió Sofía, demostrando que había escuchado desde la primera vez y, sencillamente, no le había pegado la gana responder.

El desierto, con sus zanjas y matorrales, fue cediendo paso a unos llanos poblados por casetitas de lámina y madera. Algunas parecían deshabitadas y rotas pero la mayoría se sostenían en pie con esfuerzos de mejora evidentes.

Con ese clima fatal, que pasaba de los cincuenta grados a la sombra en verano a los diez bajo cero en invierno, hasta el acero crujía. Por eso, los tablones de las ventanas se veían remachados y las planchas de metal parchadas. De no pocos tejados surgían, además, platos parabólicos de recepción para la televisión por satélite.

Una repentina construcción de adobe, con anuncios de refresco y papitas en los umbrales, avisaba que el pueblo (la ciudad, según sus habitantes) propiamente dicho comenzaba allí. Cien metros adelante, el letrero oficial lo confirmaba: "Bienvenido a Casas Chicas, capital del Valle y embajada del Paraíso". Para refrendar el chiste, unas marcas negras de disparos atravesaban el metal alrededor de las letras.

"Embajada del Paraíso." Se querían.

La estación de radio, repentinamente, se sintonizó como era debido y los Beatles pasaron de balar lánguidamente a resonar como tormenta, como si los lleváramos encima del auto con amplificadores, guitarras y peinados de pajecito. Tuve que taparme los oídos. Los del asiento delantero no sólo no le bajaron al volumen, sino que se pusieron a cantar *I Wanna Hold Your Hand*, pieza que para sus fieles es arrobadora y para los demás seres vivos una lata.

Así, encrespado y con las manos sobre las orejas, vi mutar las casas cuadradas de las afueras y, sin necesidad de ningún giro, convertirse en los pequeños edificios comerciales y oficiales del centro y, más allá, en mansiones rodeadas de palmas y avenidas sombreadas y bien dibujadas.

Dimos la primera vuelta (hacia la izquierda, en perfectos cuarenta y cinco grados) y seguimos por una calle que nos llevó, luego de un par de semáforos y unos pocos minutos, a un área resguardada por vallas eléctricas. Las construcciones adentro eran espectaculares: altas, rodeadas de pinos y abetos, con fachadas cuajadas de terrazas, salientes, balcones, tejaditos de dos aguas, cúpulas y palomares.

Un vigilante malencarado, ataviado con uniforme de comando especial, nos franqueó el paso desde una casetita demasiado pequeña para su tamaño y la violenta cantidad de equipo de protección que llevaba encima. No pude dejar de notar el rifle automático que pendía de su hombro. Muy bravo el tipo, pero bien que bajó los ojos cuando descubrió que Sofía manejaba el auto. Hasta dijo "buenos días" con una voz de niño que contrastaba con su corpulencia y el gesto de perro de ataque.

A velocidad mínima y ya sin los Beatles arrojando al aire sus tonadas, avanzamos por una callecita. Cada residencia se afanaba por exhibir una decoración navideña diferente de las demás, pero siempre desmesurada. Renos y trineos cubiertos de foquitos, neones que formaban establos enteros, con mulas y bueyes de fibra de vidrio, pastores de madera cubiertos por ropajes de terciopelo, santacloses inflables. De noche, aquello sería tan discreto como un casino de Las Vegas.

La casa familiar era la última del fraccionamiento bardeado. Un palacio blanco con puertas de madera y vidrio y espacio para ocho automóviles en las cocheras. Pero Paulo no estaba allí.

Salimos de la biblioteca bajo la tenue lluvia. El cielo, de tan gris, nos hacía sentir en el interior de un frasco. No serían ni las cuatro y parecían las nueve de la noche. Cruzamos el parque con dificultades porque el lodazal no era fácilmente transitable ni siquiera con tenis.

El plan de Sofía era rarísimo. Se había sentado frente a mí, me había exigido el libro que estaba leyendo (*Mundo plano*, volumen dos: un clásico) y había sonreído al devolverlo al estante, como si estuviera a punto de arrojarme alguno de sus típicos dardos. Lo evitó y fue directo al punto.

—Ya sé cómo vamos a averiguar lo de los gatos.

Sin importarle el hecho de que me ofendiera al narrar unas aventuras tenidas sin mi concurrencia, confesó que había vuelto al parque, de noche, y había seguido al Ojo de Vidrio hasta la esquina en la que tomaba el autobús. Luego hizo el camino de regreso. Así supo que su vida era monótona, que había dejado, al menos de momento, de buscar felinos y que incluso tenía una madre.

—No lo creerías. Es una mujer elegante. Ya vieja. Tiene un local de venta de gatos y de cosas para gatos en la placita Copérnico.

Eso quedaba a un par de calles de mi escuela primaria original, la que tanto detestaba. La mención de la plaza (un par de pasillos con locales sin interés) me torció las tripas. Allí, a sus maquinitas de videojuegos, solían ir mis antiguos compañeros por las tardes. Allí repostaban energías engullendo papitas y refrescos. Habría sido capaz de dar un rodeo de quince cuadras con tal de no acercármeles. Aunque los años habían pasado, el efecto nauseabundo que me provocaban era el mismo.

—¿Y el hijo le consigue los gatos?

—A lo mejor. Tengo una idea para averiguarlo.

Luego de dos visitas a la placita, Sofía había llegado a la conclusión de que la madre del Ojo tenía problemas con su vecina de local, una adivinadora. El conflicto era simple. La vecina poseía cuatro gatos y su presencia en las inmediaciones ponía locos a los mininos de la tienda. Al menos, eso conjeturaba.

—Ya las vi gritonearse. Creo que ahí podemos averiguar algo.

A mí, que nunca tenía dinero, no me entusiasmaba la idea de visitar a la pitonisa. Llevaba en los bolsillos apenas lo necesario para un par de camiones y quizá un refresco. Se lo dije.

—Entonces me leerá las cartas a mí —repuso sin perder el paso, bastante más acelerado que el mío.

Hubo que bajar a lo largo de los parques (lo de bajar era literal, porque la biblioteca estaba en la falda del cerro y la placita tres kilómetros allá, al otro lado de la López Mateos) y caminar media hora bajo la llovizna que iba y venía. Con todo y chamarra, sentía el cuerpo helado. Siempre he sido friolento. En aquella época era capaz de ponerme un suéter debajo de los mismísimos bigotes del sol. Sofía, en cambio, llevaba un suéter ligero y la cabeza al aire. El cabello se le pegaba en la frente y las mejillas. Puede sonar estúpido aceptar que así sucedió, pero de pronto me di cuenta de que era hermosa. Ahí fue que se jodió todo: no tenía otra cosa mejor en qué pensar y, a los pocos días, babeaba por ella.

El escalofrío apareció en mi espinazo en cuanto nos acercamos a la placita. El problema con su plan, lo he dicho ya, era tener que realizarlo en aquel sitio infecto. La lluvia había encenegado el mosaico de los pasillos, convirtiéndolos en pistas de patinar. Nuestros tenis chapaleaban y dábamos pasos lentos y torpes para evitar un tropezón y el subsiguiente clavado en las aguas puercas.

Cruzamos frente a la tienda de gatos, con sus escaparates llenos de camas, afiladores de uñas, bebederos y jaulas. Nunca me simpatizaron los expendios de animales, hermanos engañosos de las carnicerías, en los que eran vendidos como juguetes una serie de bichos infelices a los que aterraban los niños al otro lado de las vitrinas, acercándoles las carotas y resoplándoles o dando de golpetazos en el cristal.

La madre del Ojo de Vidrio era una dama muy seria, de unos sesenta y tantos años. Yo no la habría descrito como elegante, por rebatir las palabras de Sofía, pero al menos no era tan harapienta como su retoño. Sólo pude darle una breve ojeada (la mujer, de perfil, tecleaba en una máquina de escribir). Dentro de su establecimiento había costales de croquetas, hileras de platones para comida y agua, medicamentos simples y unas vidrieras llenas de gatos.

Pero nuestro objetivo era el local vecino y sus ventanas cegadas por cortinajes de terciopelo con toques de encaje negro. "La adivinación de Artemisa. Tarot, baraja española, café, mano, iris, aura, I Ching, runas, amarres, sanaciones, limpias, interpretación de sueños, curación del nervio ciático."

Eso decía el letrero escrito a plumón con una caligrafía sorpresivamente hábil y una ortografía de la que quizá será mejor no decir más (hablando en plata, el letrero decía "*curasión* del nervio *asiático*"). Una fragancia que oscilaba entre el incienso y el aromatizante de baños lo envolvía a uno apenas se acercaba a la puerta. Dudé y mi mano se quedó en la manija de entrada. Sofía me dio un empujón y, trastabillando, entramos al reino de la magia.

No hubo ronda de presentaciones. La madre, para empezar, no estaba presente: pasaba unos días en la residencia de sus propios padres en otro fraccionamiento amurallado, al norte de Casas Chicas, concentrada en los preparativos para la ceremonia de las bodas de oro que ocurriría justo antes de la Navidad.

El padre había aprovechado su libertad condicional para instalarse en la sala, delante del televisor, y mirar todos los juegos de los diversos deportes que captaba su parabólica (entonces no había televisión por cable, o al menos no estaba tan extendida como ahora; lo común era colocar en la azotea de la casa una antena enorme como platillo volador y captar toda clase de canales extraños, lo mismo de Estados Unidos que de las islas Feroe).

Aunque las preferencias del hombre se inclinaban por el beisbol, y daban cuenta de ello los recuerditos que inquietaban el fondo de la sala y la franela rayada de los Coyotes del Valle, el equipo local, que llevaba encima, aquél no era mes propicio para verlo en televisión. Así, pues, el amo y señor de la casa miraba un juego de futbol americano colegial. A Rabín, descubrí, lo entusiasmaba el espectáculo. Brincó al sillón con la naturalidad con que un perro salta al regazo del amo.

Supuse que el padre de mis amigos tendría alguna clase de interés especial por el juego, porque se retorcía las manos y se le crispaban los bigotes. No me pareció justificada la adoración mitológica que le profesaba Paulo. Era un tipo bajito, moreno, calvo, salvo por una franja de pelo enredado y canoso en la nuca.

Tuve la incómoda seguridad de que ese tipo, feo como era, podía reivindicar el mérito de haberle heredado algunos rasgos a Sofía, que era guapísima: el tono de piel y de cabello, la estatura moderada, los ojos profundos que contrastaban con las caras de pambazo pálido de Paulo y doña María Inés, la matriarca del clan, a quien en un retrato familiar, que descubrí encima del televisor, se le notaba rubicunda, con los pelos repintados de color zanahoria.

—Éste es Luis, nuestro amigo de Guadalajara —dijo Sofía por toda introducción.

Su padre persistió en el juego.

—Mi papá —agregó ella, desanimada.

Rabín, que era un pelmazo invencible, tuvo a bien emitir una risita. El dueño de la casa se removió en el esponjoso sofá y me observó con la simpatía que le solemos conceder a los insectos que se cuelan a nuestra cocina. Me envolvió una oleada de angustia propia de un huérfano que espera la amabilidad de los extraños y no la obtiene. Luego me dije que no era para tanto, dado que el hombre, a quien quizá por el culto que Paulo le rendía había imaginado como uno de los héroes de mis libros, rotundo y fiero, era en el fondo bastante ridículo: tenía puesta la calefacción eléctrica y era evidente que estaba en calzones bajo la manta; además, del mostacho le colgaban aún pedacitos de papa frita. No valía la pena considerarlo una fuente de desazón.

Como si mi descubrimiento de su pequeñez lo hubiera aterrado, el tipo reaccionó. Se envolvió como un romano en la manta, se puso en pie y me extendió una mano nerviosa, cubierta de vello y callos.

—Mucho gusto. José Carlos Osuna Parral.

Así lo transcribo de mi libreta para que se entienda, pero la realidad es que lo que oí fue:

—*Chogusto, Joscarlosunarral.*

Hablaba a tropezones y era evidente que le incomodaba tenerme allí. "A nadie le gusta hablar en calzones con un desconocido", pensé. Mucho menos si un minuto antes estaba tendido en el sofá mirando el partido y atragantándose de papitas (y eligió ese momento para sacudir las morusas de su pecho

57

y bigote). Volvió al sofá y al juego. Alguien anotó puntos. Rabín y él chocaron las manos como sólo lo hacen los viejos y buenos amigos. Me ofendí aún más.

El tipo volvió a prestarme atención en los comerciales. Paulo seguía sin regresar, dijo, y seguro que andaría de borracho con sus cuates, pero cualquier amigo suyo era bienvenido.

—Dale el cuartito del fondo, el de la biblioteca —indicó a Sofía, quien había permanecido de pie, con una mueca de impasibilidad en el rostro.

Sofía asintió y se dirigió al pasillo. Me despedí con una inclinación de cabeza que sólo respondió el tarado de Rabín. Don José Carlos estaba perdido en la contemplación de la pantalla.

—Pinche Paulo, ya me preocupó —dijo Sofía, anticipándose a los comentarios horribles que pensaba hacerle sobre su padre.

Me encogí de hombros.

Artemisa, la adivina, debió ser guapa treinta años atrás y conservaba gallardía en el porte y la mirada. Tenía la piel manchada por la edad, en especial brazos y manos, y su rostro mostraba pequeñas pecas en la frente, ya amplia, y en las mejillas, pero el conjunto era agradable y casi imponente.

Su nariz era imperial y sus ojos, los de un águila disgustada. Usaba un batón de color lila que la cubría del cuello a los pies. De sus orejas colgaban unos aretes de plata encorvados como amortiguadores de auto. En cada una de sus muñecas cargaba quince o veinte pulseritas, por lo que cascabeleaba con sólo mover los dedos. Un cigarrillo humeaba en sus labios. No llevaba maquillaje y su lividez la hacía parecer aún más señorial.

Sentada ante una mesilla cubierta por un mantel del mismo terciopelo de los cortinajes, barajaba unos naipes decorados con figuras que no supe reconocer. Los extendió frente a sus manos. Contra lo que pudiera pensarse, sus uñas no eran largas ni recargadas de piedras y colorines, sino romas y casi invisibles.

El sitio olía a tabaco, a cuero y a un aroma que sólo tiempo después aprendí a reconocer como el del vino tinto. Supongo que habrá alguien a quien ese olor particular le molestará, pero a mí me gustaba. Tanto como para haberme puesto de buenas instantáneamente. La lluvia arreció. Golpeaba en los cristales y resonaba en los mosaicos. El aire nos acarició a través de los respiraderos laterales, haciéndonos estremecer.

Artemisa se comportaba con naturalidad, como si hubiera previsto nuestra visita, y nos indicó que nos sentáramos. Sofía, que tenía una expresión fascinada que no conocí hasta ese instante, ocupó el lugar junto a la adivina. Me acomodé en una sillita lateral que cojeó antes de estabilizarse.

—¿En qué les voy a ayudar? —susurró la adivina.

Sofía sonrió con perfidia.

—Quiero saber mi futuro. Y otras cosas.

La mujer devolvió la sonrisa.

—Nada sobre este muchacho, parece. No son novios, claro. Quieres algo más.

La amable vibración que había sentido al llegar se esfumó de golpe. ¿Qué rayos le importaba a una lectora de cartas en el pinche centro comercial de una colonia de medio pelo del sur de Guadalajara si Sofía estaba interesada en mí o no? Me removí en la sillita, que volvió a tambalearse.

—La verdad es que quiero saber otra cosa y creo que usted puede ayudarnos. Un asunto de gatos.

Artemisa la miró, astuta. Como si los hubieran llamado, sus felinos asomaron en ese momento detrás del cortinaje. Eran pilosos, hirsutos, de ojos achinados. Uno maulló como un bebé reclamando algo incomprensible. Tuve escalofríos.

—Gatos.

—Sí. Hace unos días robaron a los nuestros. No la aburro con la historia. El caso es que para recobrarlos nos tuvimos que meter a una casa muy extraña. La del hijo de su vecina de aquí. Creo que supone el resto.

La expresión de la adivina se transformó. Su dulzura dio paso a una mueca de preocupación. Se le marcaron los surcos en la frente y las comisuras de la boca y los ojos se ensancharon.

—¿Se metieron *allí*?

Sofía afirmó con una sacudida de cabeza. Nuestra incursión triunfal en casa del Ojo de Vidrio había dejado de parecer buena idea.

—Pues también se metieron en un buen problema —balbuceó la mujer.

Un rayo estremeció los cielos.

Creo que salté al techo.

Avanzamos por un pasillo vasto y crujiente, con madera en el suelo y artesanías de barro colgadas de las paredes. También decenas de retratos a color de la familia: Sofía chimuela; Paulo con sombrero de *cowboy*; la matriarca en traje de baño; el patriarca, con otros bigotones, posando antes de jugar una cascarita de beisbol; la familia entera en Disneylandia, en la playa, en la cima de una montaña, en misa, en la puerta de la casa... Me detenía a mirar las fotos enmarcadas y Sofía, con fastidio, reanudaba el camino sin responder mis comentarios ("¿Ésta del traje de karateca eres tú?").

La habitación de la biblioteca recibía ese nombre por estar adosada a un salón en el que eran visibles unos cuantos estantes. Había un televisor en el centro y, alrededor, algunos controles y cartuchos de juegos de video, cables varios, un fax desenchufado de la línea telefónica, seguramente descompuesto, y recopiladores con papeles de contabilidades pasadas. También muchos engargolados y algunos centenares de historietas traídas por don José Carlos de Estados Unidos, y que eran uno de los orgullos de Paulo.

Los libros estaban concentrados en los estantes bajos. Eran textos escolares de materias como inglés, matemáticas, historia y geografía, títulos de dudosa procedencia (unos volúmenes gastados con letras en algo que parecía alfabeto ruso y que Sofía aclaró que le pertenecían a su padre, interesado en los manuales soviéticos mientras estudiaba ingeniería en la universidad) y algunos más recientes que pertenecían a esa clase de libros para gente hundida en la derrota (cosas del tipo de "Ayúdate a ti mismo y yo te ayudaré" o "Adolescencia febril").

Sonó el teléfono. Un grito destemplado de don José Carlos le indicó a Sofía que contestara. "Pinche viejo flojo", me dije. "Ni para eso da." Sofía, que curioseaba entre mi equipaje con gesto escéptico, respondió en el aparato de la biblioteca.

Me metí al cuartito que me había sido asignado. Tenía una cama con un colchón vencido, unos carteles con las efigies de dos o tres gigantones del beisbol profesional y, claro, otra televisión con los respectivos controles, cables y consola. Los aparatos estaban destripados, sin baterías, cubiertos de un polvo blanco que daba cuenta de que llevaban años sin ser utilizados. Colgué el saco que había conseguido para la fiesta en un armario. El hombro me ardía luego de llevar la mochila colgada por más de una hora.

Volví a la paupérrima biblioteca. Sofía, pálida, se había dejado caer en una silla de rueditas, una mano en la frente y otra en el muslo, con la que sostenía aún la bocina. Tenía un aire tan desolado que me espanté. Con muchos trabajos, consiguió abrir la boca.

—Güey: tenemos un problema.

Lo dijo con un hilo de voz.

Me acuclillé junto a ella, que se retorcía.

—Te dije que no debías haber venido. Carajo.

Me ofendí por enésima vez.

—¿Qué pasa?

Sus ojos se habían humedecido.

—Júrame que no vas a decirle a nadie.

El habitual vacío en el estómago se abrió paso y me partió las tripas en canal.

—Sí.

—De neta.

—Sí, sí. De neta.

Volvió a abrazarse a sí misma, bajó la mirada a la alfombra.

—Secuestraron a Paulo. Acaban de llamar.

En medio del silencio escuchamos un grito de alegría del tarado de Rabín y la murga altanera del locutor de la televisión, que celebraba alguna jugada genial.

Segunda parte

EN MEDIO DE LA NADA

IV

Bajo del autobús. Me alejo de la centralita en la que descienden los últimos empleados del Campestre y, en vez de seguirlos (son diez o doce y alguien puede reparar en ellos e ir tras su pista antes de que se separen, así que me urge apartarme), opto por meterme en un callejón deshabitado al que asoman los costados roñosos de unas bodegas. Botes de basura, cajas apiladas, trozos de vidrio. Cruzo a todo tren y me descubro, al salir del pasaje, en mitad de un llano reseco, unas matas espinosas por toda vegetación, piedras, cuarteaduras, un majadero tufo a orines.

Al fondo del terreno se levanta una estructura semicircular y casi imponente. Es un campo de beisbol rodeado por un alambrado del que cuelgan trozos de enredadera como barbas mal cuidadas. La hierba del terreno se nota repintada y dispareja. Dominando el horizonte se levanta una torre de lámina rematada por un reloj y los respectivos casilleros luminosos para señalar el marcador. "Local" y "Visitante", rezan un par de letreros y, encima de ellos, unos rectángulos con focos apagados que darán forma, en su momento, a los números de carreras que se alcancen durante el juego. Diez a seis. Quince a cuatro. Tres a dos.

"Allá en mi tierra el beisbol es religión", me advirtió Paulo antes de venir. "Yo salí futbolero porque ni modo pero no creas que tantos siguen el fucho, y el equipo de la ciudad son los

Yanquis de Nueva York, mi cabrón, más todavía que nuestros Coyos."

Eso resulta evidente al mirar el sitio en el que acabo de terminar: el parque de los ilustres Coyotes del Valle. Su paisaje es desolado. Unas tribunas de concreto ya muy despintadas, barandales metálicos descascarándose y unas alambradas llenas de herrumbre, ubicados detrás del home con la intención de que una pelota (o un bate) no terminen incrustados en las entusiastas cabezas de los aficionados de las filas delanteras.

El hecho de que todo se note tan raído hace evidente que la gente sigue a los Coyotes porque allí les tocó estar, porque en Casas Chicas no hay más que hacer. Hace quince años que no ganan nada, me dijo Paulo, pero no lo andes comentando así nomás ni te burles porque la gente no lo toma como vacilada.

Quince son muchos años. Un poco menos que los míos. Si es que no me los truncan.

Me escurro alrededor de la valla que separa el parque deportivo del despoblado que lo circunda, y que debe servir como estacionamiento a juzgar por las marcas de llanta y los reiterados letreros de "No deje objetos de valor en su automóvil: los Coyotes no nos hacemos responsables por robos o extravíos", amarrados a la reja. "Acá nadie se hace responsable de nada", me digo con amargura.

Más allá comienza una avenida demediada por un camellón lleno de palmeras con las hojas chamuscadas por el frío. Circulan unas pocas camionetas. El viento se me cuela bajo la camiseta. Estoy helado, agotado, me duelen partes del cuerpo de las que generalmente no tengo noticia y me domina una sed inaguantable. Trato de calmarla en una llave de agua que encuentro en el límite del campo, sobre la banqueta, y en la que me temo que llenarán sus cubetas los tipos que ofrecen lavar los autos de los asistentes a los juegos.

No me importa. Bebo como perro del cuenco que logro hacer con las manos. El agua, congelada, salpica y escurre al suelo, forma un charco bajo mis pies, ensucia otro poco mis zapatos. Ya que los nativos presumen de su agua limpísima, conservo la esperanza de no terminar con la panza cuajada de amibas. Pero no lo sé de cierto. El agua sabe, en realidad, a la capa de saliva ácida que he llevado pegada a la boca por horas y que me embucho al pasar. También sabe a insecticida. Pero sólo un poco.

Si mi sentido de la orientación no se echó a perder con la tranquiza que me metieron (y no sería capaz de jurarlo) debo seguir derecho por la avenida unas veinte calles hasta dar con la glorieta donde comienzan los fraccionamientos amurallados y subir a la casa de mis amigos. Quizá Sofía pueda darme alguna pastilla que me serene. Quizás incluso haya resuelto ya el pinche lío mientras me perseguían y tiroteaban y al volver a su coto me encuentre con Paulo a salvo, sentado en la sala, mirando el juego en el televisor junto a su padre, cerveza en mano. Todo fine.

Cruzo la calle, inicio el camino. Planearlo es simple: lo complicado es dar el paso, la brazada, aguantarse el frío y avanzar. Casi nadie camina por Casas Chicas. Apenas un par de pedigüeños (que van mejor cubiertos que yo) y un policía de tránsito que bajó de su patrulla para revisar la precisión del estacionado de una camioneta. Comprueba que está demasiado cerca del límite de una cochera, escribe una multa que coloca debajo del limpiaparabrisas y, al descubrirme a su lado, me mira con desprecio. Escupe.

En la esquina encuentro estacionado un vehículo conocido: el lanchón de Sofía. Se abre la ventanilla y, justo después de que el estómago me salta de emoción, llega el desencanto: la sonrisota de Rabín.

—Súbete, güey. Traemos prisa.

Carajo.

Hubiera preferido encontrarme de nuevo con el pinche perseguidor.

La primera reacción de alguien a quien le comunican una desaparición es no creerla. Uno se aferra a la esperanza de que haya un error, de que abriremos una puerta o marcaremos un teléfono y demostraremos que allí está el ausente, a salvo, que no hay peligro ni problema. La segunda, casi instantánea, es temer el peor de los finales.

Pensar muerto a alguien que te importa es peor que una patada en la entrepierna. Sobre todo cuando la idea te asalta de repente, cuando no has sido preparado por una enfermedad previa, una amenaza o miedo anterior, cuando no lo esperas y el golpe llega así, seco y frío.

Paulo era buen tipo. Era, además, mi único amigo cercano en el mundo (incluir a Sofía en esa cuenta era, a esas alturas, puro masoquismo). Imaginar a un sujeto despreocupado, apacible como él, en poder de unos miserables, imaginarlo machacado a golpes o tiroteado o aniquilado sabría Dios cómo, me resultaba nauseabundo, incomprensible.

El mal por el mal.

Lo siguiente es el temor, que no se va. Mientras no puedas constatar un final, es decir, la reaparición o muerte de quien buscas, todas las posibilidades están abiertas y todas son pésimas. Quieres pensar lo mejor y terminas, cada vez, en lo más bajo, en el escalón que te manda al charco de lodo. La esperanza de un regreso (que casi nunca sucede, que es un puro deseo de que en la vida haya magia, triunfo, justicia) alimenta el miedo con materiales más inflamables que las amenazas.

Sofía devolvió el teléfono a su sitio con un golpe exasperado. Era uno de esos aparatos dotados de un disco para marcar los dígitos, ya en extinción incluso en aquella época, pero aún útil y en funciones. Me miró, pero no tenía nada que decir y mi única medida fue llevarme las manos a la cabeza y torcer la boca, que no son gestos que ayuden a nadie a levantar el ánimo. Conseguí, luego de la patada moral que me golpeó el pecho y la cabeza, recobrarme y calibrar la voz.

—¿Qué pasó?

No era la mejor pregunta. En realidad era pésima pero se sobrentendía que mi propósito era saber lo que había dicho el secuestrador. Sofía había amarilleado; respiraba por la boca. Parecía posible verle circular la sangre por debajo de la piel. Un párpado le temblaba, también las manos.

—No sé. Llamaron. Una voz rara, la estarían fingiendo. Dijo que lo tienen, que lo agarraron de madrugada. Que van a volver a marcar mañana porque quieren dinero.

—Hay que llamar a la policía.

—Lo matan.

Era lo usual. Hemos de suponer que ningún secuestrador del mundo olvidará mencionar ese requisito, a menos que él mismo sea agente del orden (es un decir) y no le importe tomar la llamada.

—Hay que decirle a tus papás.

—Lo matan.

—¿También?

Iba a comentar que esa cláusula anexa parecía abusiva y estúpida pero el mohín de Sofía demostraba que no estaba dispuesta a escuchar más reparos. Mala cosa: siempre he sido un tipo de esos que por evitar caer en un pantano se hunde en el océano.

—Eso es una imbecilidad. Ni modo que tú consigas el dinero. Les tienes que decir.

Cerró los ojos. Había conseguido abrirme paso entre su pena y azoro para sacarla de quicio.

—Pidieron no decirle a nadie. ¿Te callas?

No entendía pero preferí obedecer.

Sofía se puso en pie. Estaba haciendo, me pareció, cálculos mentales. Decidió algo urgente porque recuperó las fuerzas y se lanzó fuera de la habitación. Me fui tras ella. La alcancé en la entrada de su recámara, luego de un par de vueltas de pasillo y de subir unos escalones de mosaico resbaloso.

Había varios libros por ahí, sobre el escritorio de madera blanca, acomodados por tamaños y colores para mostrar que el cuarto estaba en realidad deshabitado y alguien más se había tomado la molestia de dejarlo tal como lo debería haber mantenido su antiguo ocupante. Supuse que esa mano preocupada era la de su madre, porque ver a su padre arranado en el sillón no había contribuido a que me lo tomara en serio. Ni siquiera como decorador de interiores.

El cuarto estaba pintado de azul, con colcha y cortinas a juego. Un póster de un grupo de metaleros pintados de güero y con labios rojos inquietaba la pared. En la lámpara del techo figuraba un perro de cerámica con los ojos chuecos, una de esas que se elaboran como trabajos manuales en las escuelas primarias y las madres juran que están preciosas aunque sepan que son un horror.

Sofía se escabulló por una puerta lateral a la velocidad de un rayo y salió, luego de un par de minutos, con playera, *jeans* y el cabello recogido. Arrojó sobre la cama las ropas que llevaba antes. Arriba de la montaña de falda, blusa y mallas quedó expuesto el pequeño nudo azul de sus calzones.

Creo que nunca antes había recibido un golpe de adrenalina como el que tuve en aquel momento, a pesar de que me obligué a voltear a otro lado y hacer como que me interesaban las jetas de esos metaleros llenos de laca, labial y colorete. Tuve que controlarme, cerrar los ojos y visualizar a Paulo; un Paulo indignado, furioso como dragón y con vapor saliéndole de las narices; un Paulo roto por verme más preocupado por ver los calzones de su hermana que por conseguir su libertad.

Sofía se había ido. Volví a seguirla, ahora de regreso, escalones abajo, al pasillo y la sala. Rabín y su padre estaban allí, ante el televisor, como si nada: instaladotes. Se les había unido un tercer compañero. Un tipo correoso, con una vena saltándosele en la sien que le daba un aire entre cómico y atemorizante, con bigotes, calva reluciente y un suéter *beige* de cuello de tortuga. Nadie se tomó la molestia de presentármelo. El juego colegial se había terminado y los tipos miraban la repetición de algún partido de futbol europeo, narrado con lentitud y parsimonia en un idioma que ninguno de nosotros entendía. No parecía importarles.

Sofía le hizo señas al tarado de Rabín para que se nos uniera, pero él, de entrada, se negó. Dos, tres, cuatro veces, hasta que la mirada que recibió fue categórica. No era fácil zafarse de la ira de Sofía. Rabín, asustado por la insistencia, se puso de pie, metió la mano al platón de las papas como para dejar en claro que se iba a su pesar y nos siguió.

—¿Ya se van? —inquirió don José Carlos con el tonito amodorrado que había utilizado para darme la bienvenida a su reino.

Sofía ni siquiera respondió. Yo tuve que hacerlo.

—Sí: a conocer.

—Ah, pues bien. Se divierten.

Y señalando al visitante que seguía allí, impávido, a su lado, me indicó:

—Éste es *Shuy*, mi jefe de obras. Y éste de acá es un amigo de mijo.

Incliné la cabeza. El tal Chuy se rascó la calva y tomó una papa del platón.

—*Sho* gusto.

Gané la calle para evitar que me dejaran atrás.

Sofía había subido al automóvil, que al encenderse levantó una columna de humo, y apenas esperó a que me colara al asiento trasero para pegar el arrancón.

—Ay, niños. Mejor no se metan en esas cosas. Ese tipo está loco —el tono de Artemisa, la adivina, era el de una abuela afable, una que invita a pensarlo mejor antes de meterle una pedrada a una vidriera. Pero la pedrada estaba dada y no había modo de volver atrás.

La lluvia amainó y las ventanas mostraban un puro escurrimiento de agua en vez de estremecerse por el golpeteo. El olor a incienso comenzaba a darme mareo. No entendía cómo la tía Elvira era capaz de pasarse una tarde metida en la iglesia, de rosario en rosario, de misa en misa, las narices cuajadas de aquel mismo perfume dulce y picante que nos envolvía como una neblina.

Artemisa suspiró. Estiró el cuello unos milímetros para ver si el enemigo no estaba asomándose por la puerta del local justo en aquel momento. En vez de contarnos de una buena vez lo que esperábamos oír, se puso en pie con un quejido (y se llevó la mano a la espalda), resopló e insistió en que el frío era demasiado, que resultaba insoportable y, por tanto, sería buena idea prepararnos un tecito.

Vació agua caliente a la tetera desde un garrafón de oficina oculto en un rincón. Le puso unas cucharadas de hierba molida que extrajo de un tarro y esperó un par de minutos. Cuando estuvo satisfecha, nos sirvió la mezcla en unas tazas minúsculas de color hueso y decoradas con figuras chinas. Acompañó la infusión con un plato de galletitas de mantequilla. Los gatos se habían apoltronado en un sofá y nos miraban con envidia. A ellos nadie les había ofrecido tentempiés ni una taza de té.

Debo confesar que una de las pocas cosas que siempre me han gustado en la vida son las galletitas de mantequilla. Las prefiero a los amaneceres, las cumbres nevadas, los arrecifes de coral, la amistad y el amor. Así que me comí las mías y me adueñé de las que le correspondían a Sofía, mientras la adivina se acomodaba en sus ropajes de sacerdotisa babilónica, se aposentaba en el sitial y regresaba a la historia.

—Hay cosas que es mejor no saberlas, la verdad.

Y se puso a develárnoslas.

La madre del Ojo de Vidrio, dijo, se dedicaba a la venta de gatos y cosas para gatos desde hacía algún tiempo. Cuando Artemisa mudó el negocio de la revisión del futuro a aquella placita del sur, su tienda ya se encontraba en funciones. El primero en advertirle del peligro fue el tipo que le alquilaba el lugar, quien le confesó que había preferido venderle el suyo a la vecina antes que enfrentarse con su hijo. "Es un monstruito, tiene un ojo fregado pero con el otro te clava al piso. Da miedo mirarlo. Parece un asesino." Con esas tranquilizadoras frases le habló por primera vez del Ojo de Vidrio.

Lo siguiente fue el encuentro con la vecina en persona. Acudió a su local un lunes, temprano, y antes de presentarse se ofreció a comprarle los gatos. Todos. Artemisa pensó que bromeaba. ¿Sus bichos? Eran viejos, mañosos, maleducados y estaban castrados. Declinó la oferta, aunque no era mala. La mujer frunció el ceño y se fue sin decir buenos días. Una semana después llegó la acusación.

"Sus gatos se comieron la comida de los míos. Quiero que me la pague." Lo gritó por teléfono. La adivina se quedó sorprendida. Sus gatos no salían del negocio (se pasaban el día dormidos o remoloneaban en el saloncito) y se volvían a casa con ella cada día. "No creo que hayan sido", respondió.

No había pruebas. Ninguna huella de garra. Artemisa perdió la paciencia. "Usted tiene muchos animales. Pudo ser uno de ellos." Pero la madre del Ojo de Vidrio lo negó. Sus bestias

72

estaban enjauladas, era imposible que hubieran escapado. Exigió, de nuevo, una indemnización. Las cosas se salieron de sitio y la discusión terminó cuando Artemisa replicó la acusación con una frase inevitable: "Que le pague su madre". "Buenos días", dijo esta vez su rival antes de colgarle el teléfono.

A la mañana siguiente, el Ojo de Vidrio apareció en la puerta. En aquel entonces, la puerta del local de Artemisa tenía una alarma que se activaba con cualquier movimiento. Emitía un sonido clásico, el que uno piensa cuando le hablan de un timbre, ese que hace "din-don".

El Ojo era más alto que cualquier otro hombre que hubiera entrado allí. Daba la impresión de tener que encorvarse para no golpear contra el techo. No dijo nada. Se limitó a permanecer un paso delante de la puerta. Los gatos se pusieron en alerta y se repegaron unos a otros en el sofá, como si pudieran formar un solo felino enorme y protector. Maullaban lastimeramente.

"¿Qué se le ofrece?", preguntó Artemisa, que no podía apartar la mirada de la cuenca inmóvil que su visitante lucía en mitad de la cara, junto al ojo bueno.

"Cuidado con sus gatos", dijo el Ojo.

"¿Lo manda la vecina?"

No respondió. Artemisa tuvo la seguridad de que ella, sus gatos y la situación le daban lo mismo, pero que, a la vez, sería capaz de cualquier cosa con tal de terminar el asunto. La mirada del Ojo era, por supuesto, inexpresiva. De reptil.

"Si pasa cualquier cosa, vengo y me los llevo", murmuró con voz pesada y recóndita. Como si se supieran aludidos, los bichos reanudaron los gimoteos. "Me gustan los gatos. La que no me gusta es la gente."

Din-don.

El Ojo se había ido.

Artemisa estaba helada.

Volvió a toparse con la madre a los pocos días, en la escalera de la placita. Estaban rodeadas de clientes, niños todos, así que no dijeron nada. Pero la mujer la miró retadora antes de volverle la espalda. La adivina no pudo conciliar el sueño durante dos noches. A la tercera tomó una decisión. Se plantó en el local vecino.

"Te pago pero no quiero volver a saber de ti en la vida." La vecina, a pesar de haber sido sorprendida mientras se hurgaba las narices, volvió a sonreír. Recibió el dinero con una manita sudorosa y ávida. Artemisa no pudo contenerse y comenzó a gritar. Le dijo todas las barbaridades que se le pasaron por la cabeza. Como si necesitara volver el estómago, incontenible, la increpó, la insultó, se quedó a punto de abofetearla.

Antes de unas pocas horas ya estaba el Ojo en su puerta. Din-don. Los gatos, que estaban dormidos, brincaron y se agolparon, trémulos. La adivina, clavada en la mesita, no supo qué hacer. Rezó en silencio a sus muchos dioses, les pidió que la protegieran. El Ojo de Vidrio se aproximó. Su sombra llenaba las paredes. Puso unas monedas sobre la mesa, un montoncito ridículo.

"Su cambio", dijo.

Y sonrió con una boca desdentada que hacía pensar en una alcantarilla.

Din-don.

Se fue.

Artemisa quitó el timbre esa misma tarde, ayudada por un cuchillo habilitado como desarmador. Sólo de pensar en volver a oírlo se le paralizaban las tripas.

Din-don.

Rabín era imbécil pero muy sensible. La noticia de que Paulo estaba secuestrado lo congeló en el asiento y tuvo la virtud de hacer que permaneciera con la boca cerrada mientras Sofía manejaba. Tuvo que ser notificado durante las primeras calles de nuestro trayecto, porque se enterco en que fuéramos al café de su padre o, mejor aún, a dar vueltas a la plaza (aquella costumbre, así de divertida como suena, era uno de los principales entretenimientos de los vallenses).

—Vamos a ir pero a otra cosa —gruñó Sofía. Y antes de que Rabín se pusiera a hacer disquisiciones, asestó el mazazo.

—Secuestraron a Paulo.

El centro de Casas Chicas era más feo que el resto del pueblo (si uno exceptuaba las afueras, con sus casetas de lámina y toda la madera podrida). Era viejo, cuadrado, sin interés. Expendios de porquerías traídas de los remates en Estados Unidos (baratijas de a dólar, juguete americano importado, pantalón talla extra...), restaurantes de cecina y burritas que no estaban llenos de moscas sólo porque éstas no sobrevivían los rigores del clima, unas oficinas municipales y un par de tiendas de artículos para cacería que parecían depósitos clandestinos de armas. No resultaba un sitio agradable y, por supuesto, no había un solo turista por ahí.

La plaza en sí intentaba parecerse a las del resto de la República: quiosco, banquitas, arbustos, vistas a la iglesia (una imitación de las misiones jesuitas), a la alcaldía (un cubo de piedra con ventanas enrejadas y vidrios polarizados) y al Museo Regional del Valle, lugar fascinante en el cual, me informaron, se encontraban unos mapas, los sables de los próceres del juarismo local y unos tepalcates que nadie, a lo largo de los años, supo atribuirle a una etnia prehispánica concreta.

El otro frente principal daba a las fachadas del conjunto de oficinas municipales: la policía, el catastro, la junta electoral, derechos humanos, la caja de multas y licencias... Sofía estacionó el lanchón en aquel lado de la plaza. Las puertas de nuestro costado no abrían: la banqueta resultaba demasiado alta, el auto demasiado bajo y el espacio muy reducido. Rabín y yo debimos bajarnos por el lado de la calle y esperar a que dos camionetas, cuyos conductores se habían detenido a conversar, se percataran de nuestra situación y tuvieran a bien moverse para cedernos el paso. Sofía ya estaba en mitad de la plaza, perdiéndose entre las bancas que rodeaban el quiosco.

En ese tipo de placitas, o al menos las que conocía, solía uno toparse con globeros, paleteros, un tipo que vendía tacos o tamales grasientos y quizás hasta una señora con un puesto de objetos de yeso para que los niños se entretuvieran pintándolos. En Casas Chicas no había nada así. Lo más parecido era el tenderete de un sujeto con cara de haber escapado de un penal de alta seguridad (cicatrizada y siniestra), que ofrecía películas piratas y revistas atrasadas. En aquellos días las películas no eran vendidas en higiénicos discos o en prácticos archivos digitales, sino en casetes del tamaño de un libro grueso. Y, en su versión pirata, esas cintas eran grabadas cámara en mano en el interior de un cine, así que uno podía distinguir las voces y los gritos de los espectadores de la película original y hasta veía sus sombras si la cámara estaba mal emplazada (lo que era habitual) o alguien se levantaba para ir al baño o a la dulcería.

Conseguí reconocer a Sofía a lo lejos y troté para darle alcance, eludiendo las matas de espino que pasaban por árboles de ornato. Al otro lado del quiosco, mirando hacia la presidencia municipal, un grupo de mujeres, cinco o seis, sostenían unas pancartas. Silenciosas, graves, con ojos vidriosos, tapadas lo mismo con chamarras y gorros que con rebozos cenicientos y deshilachados, parecían detenidas en el tiempo a la espera de algo que no llegaba a suceder. Una de ellas, alta y morena, se había separado del grupo y, sentada en una banca, conversaba con mi amiga (si es que era posible llamarla así). Parecía consolarla. Le había puesto una mano en el hombro. Sofía manoteaba; la mujer asentía con la cabeza.

Preferí retroceder hacia el grupo principal. Las mujeres que lo conformaban debían estar más que habituadas a que no les hicieran el menor caso porque ni siquiera voltearon a verme. Sus pancartas eran cartulinas rayadas con plumones de colores. Las letras parecían haber sido trazadas por la misma mano. Exhibían, en el centro, la copia fotostática de un retrato. El rostro de una muchacha de unos veinte años, con melenita y sonrisa forzada. "¿Dónde está?", rezaban los letreros de la parte superior. Y los de abajo: "Señor gobernador, señor alcalde, ayúdenos a encontrarla".

Una larga tristeza debía abatirlas. A su alrededor mantenían un cerco de bolsas con bastimentos (agua, termos de café, cobijas, unos bultos que serían la comida) y sillas de plástico para cuando el cansancio resultara excesivo. No supe qué pensar. Quise imaginarnos allí, a su lado, con nuestras propias pancartas y no tuve forma de conseguirlo. Las mujeres imponían demasiado. Era como mirar a las montañas. Uno las ve, se detiene y se calla.

Rabín apareció a mi lado. La mueca de sus belfos se volvió desconcierto, primero, y luego alarma. Era un tonto pero debió hacer las mismas cuentas que yo. Retrocedimos. Las mujeres no nos concedieron más atención que la que habrían prestado a un par de zanates. Hicieron bien. No teníamos nada que decir.

Sofía se levantó. Tenía los ojos húmedos. La mujer con la que había conversado le puso la mano en la cabeza un instante y la miró con pena. Esperó a que nos alejáramos antes de tomar su pancarta y regresar. Cuando me volví a mirarla por última vez estaba allí, de pie, con la cartulina en las manos.

Dónde está.

Mi opinión era que si el Ojo de Vidrio le había dicho a Artemisa aquellas frases equivalentes a "mato gente" era así nomás, para dárselas de tremendo y asustar a sus víctimas. La de Sofía, por el contrario, era terrible: el Ojo era un peligro real y debíamos hacer algo para detenerlo.

¿Por qué nosotros? Porque era seguro que el Ojo no se conformaría con el rescate de nuestros gatos y trataría de vengarse. Y el horror de aquella casa suya, además, exigía que las autoridades intervinieran. Pero necesitaban pruebas para hacerlo. Y nosotros las íbamos a encontrar.

Estábamos en el parque, de regreso de la placita malhadada, sentados en una banca protegida de la lluvia por el saliente del tejado de la biblioteca. Hablábamos en susurros, aunque nadie podría escucharnos. Las rachas de aire nos salpicaban con gotas heladas. Supe que era un momento que no olvidaría pronto cuando Sofía, con la vista clavada en la neblina, sentenció:

—Vamos a regresar.

Nunca fui bueno para recibir órdenes. Había perdido a mis padres y eso, creía yo, me daba la posibilidad de negarme a participar en lo que fuera. Si había tenido el valor de escapar de la escuela podría tenerlo también para resistirme a ser cómplice de una incursión que sólo podría llevarnos al desastre. Pero ella insistía.

Parte de mí deseaba salir corriendo, claro. Pero otra valoraba a Sofía como lo que era: una suerte de milagro. Una chica que no sólo me dirigía la palabra, sino que estaba dispuesta a brincarse a una casa si la acompañaba. Esa parte resultaba, a la larga, dominante: a esas alturas hubiera aceptado que me pasara un camión encima si Sofía estuviera a mi lado.

—Hay que encontrar más pruebas. Si vamos a la policía con el cuento de los gatos que se roban, al Ojo ni siquiera lo van a arrestar. Hay que encontrar algo más.

Supuse que estaba envalentonada porque la vidente le había asegurado que el espíritu de la diosa Isis era fuerte en ella. Isis, por favor. Sí: habíamos terminado por caer en la red de la mujer y le pedimos que nos leyera el futuro luego de tomarnos su té y devorar sus galletitas (en realidad, lo acepto, eso había sido solamente cosa mía). Sofía me prestó el dinero, claro, porque yo no llevaba encima más que lo del camión. Artemisa, que nos miraba con una risita expectante, se persignó cuando le pusimos los billetes en la mano y los guardó en una caja de madera laqueada. Casi se escuchó en el aire la música de las campanillas de una caja registradora.

Primero nos examinó el iris de los ojos. Así podría, dijo, recomendar qué método de adivinación le convendría a cada uno. Luego de darme un jalón de cuello con unas fuerzas de león que no le habría supuesto y de jalarme arriba y abajo los párpados, la mujer concluyó que lo apropiado para mí serían las runas escandinavas, ya que se me notaba confundido y poco claro en mis intereses y necesidades. A mi compañera, en cambio, le abrió los ojos gentilmente y, luego de unos instantes, se limitó a decirle: "Tú, el tarot. Arcanos mayores". Sonaba, claro, más imponente y Sofía me miró con airecito de superioridad.

Las runas escandinavas eran fichas de madera con las letras del alfabeto vikingo pintadas en un tono escarlata intimidante. Tuve que revolverlas varias veces, como quien hace la sopa del dominó. Cuando al fin las mezclé satisfactoriamente, comenzó a traducirlas. Dijeron varias cosas, las runas: que era malo para tomar decisiones, pésimo para expresar mis sentimientos, espantoso para relacionarme con el resto de los seres humanos e incapaz de plantearme un futuro mejor o, siquiera, uno viable.

Lo que no dijeron fueron cosas buenas. Ésas las expuso Artemisa, por sí misma, luego de examinarme otra vez los ojos. "Al menos eres leal, sí." Me miraba como si fuera una doctora y estuviera a punto de confesarle a un paciente que sus análisis habían salido peor de lo esperado. "Y no eres tonto. Tendrías que moverte más."

Me soltó. Yo estaba ofendido, como siempre, y me parecía que el hecho de que no hubiera encontrado huella de mis legendarios problemas personales en mis iris y las runas demostraba dos cosas: que aquello era una farsa y que la dama Artemisa no era tan buena para interpretar los signos ocultos como suponíamos.

Entonces fue que pasó. Me tomó la mano derecha y la analizó. La miró una, dos, tres veces. Se ayudó incluso con una lupa que extrajo de la cajita laqueada del dinero. "Aquí, aquí. Una pérdida. Es la línea del huérfano. Esto lo explica todo. Sigues atrapado ahí."

Me quedé de piedra. Sofía se removió y me miró con una expresión desconocida. Debí quedarme blanco porque Artemisa se puso a darme palmadas en la mano y me acercó la bolsa de las galletitas de mantequilla. Hubiera querido contarles, decirles qué había pasado en mi vida y cómo me sentía al respecto, pero no fui capaz. Un minuto después me avergonzaba de haber tenido siquiera el impulso. Era mejor no contar nada, nunca, porque luego terminabas por extrañar a todo el mundo.

Mientras me recobraba pasaron a su lectura. Sofía debió barajar los naipes trece veces, con los ojos cerrados. Cuando terminó, la adivinadora tomó el mazo. Extrajo las cartas boca abajo, sin revelarlas. Las acomodó como una cruz de seis arcanos con una línea de cuatro más al lado derecho. Dio una profusa explicación de qué significaba cada una de las posiciones que, francamente, no memoricé. Comenzó a voltearlas.

No puedo decir que me sorprendiera pero la voz de Artemisa, sonora y llena de matices como la de una locutora, describió a una muchacha demasiado lista en un entorno demasiado torpe, frustrada en su casa, en la escuela, en la vida, con ideas que describió como "turbulentas". Sofía se notaba pensativa. Volvió a barajar las cartas, el proceso se repitió.

"Te gustan los problemas", advirtió Artemisa, y ella le sonrió. "Y no van a faltarte." A mí me sonaba a ultimátum pero a Sofía debe haberle parecido una promesa.

Observé el lodo en mis zapatos, tres líneas secas y debajo de ellas una plasta mojada. La idea de volver a la madriguera del Ojo de Vidrio me parecía delirante. Enfrentar la peste, la oscuridad, la incertidumbre de qué cosa estás oliendo, pisando o tocando con los dedos resultaba inaceptable.

Sofía tendría que reconocerlo. Aunque Artemisa le hubiera pronosticado aventuras por toneladas, algún nervio sensato tendría que quedarle en funciones, una neurona que le prohibiera cometer la imprudencia de volver. Resoplé y esperé a que terminara de reflexionar acerca de las lecturas de la fortuna y de recordarme que esperaba el pago del dinero que le adeudaba.

—No vamos a volver.

—No tiene caso.

—Exacto.

—Por eso vamos a hacerlo.

Metió la mano en el suéter y extrajo de ella un naipe. Se lo había entregado la adivina cuando nos fuimos. Una vieja carta del tarot con la imagen de una calavera.

"Arcano XIII. LA MUERTE", rezaba en mayúsculas.

Ay.

No puedo decir que Rabín y yo lo acordáramos de ninguna manera, pero la segunda parte de la ruta se convirtió en una discusión a dos voces contra Sofía. Sosteníamos que resultaba absurdo creer que podríamos manejar el secuestro de Paulo sin ayuda. La sangre de nuestro amigo caería sobre nosotros por culpa de su miedo a poner el asunto en manos de sus padres y la policía. Ella se limitaba a responder que no estorbáramos, que no sabíamos nada.

—Pues bájanos —dijo el idiota de Rabín, envalentonado por el hecho de tenerme allí al lado, dándole la razón.

El lanchón frenó con un chirrido y nos fuimos de boca. Pegué con la parte trasera del asiento. Rabín se golpeó la cabeza contra el tablero con un satisfactorio sonido hueco.

—Bájense.

—No es en serio —aseguré.

Nadie movió un músculo. Sofía suspiró. Tamborileaba sobre el volante, frenética, sin mirarnos. El auto estaba dominado por ese aroma a cuero ajado, tapices mohosos y plástico polvoriento tan característico de las chatarras.

—Síguele —rogó Rabín—. Ya me callo.

Aproveché para lanzar un zape por encima del asiento y conecté la cabeza del clavadista con la palma de la mano. Chicoteó, tal y como era de esperarse. En su favor debo decir que encajó el castigo sin queja. Sólo se puso la mano en el punto del golpe y me miró durante un segundo cuando reanudamos la marcha.

—¿Qué dijo la señora de la plaza? —pregunté para entretener el silencio que se había instalado entre nosotros con la pesadez de una piedra. Sofía gruñó.

—A su hija se la llevaron unos matones. Y ya se han llevado a otros, al parecer. Nadie más dice nada porque los tienen amenazados. Ella lleva meses ahí, en la plaza, a veces sola y a veces con sus hermanas, pidiendo ayuda. Se recorrió el valle entero, además. Sabe del tema. Por eso se me ocurrió ir con ella desde el principio. No le sonó nada de lo que le dije sobre Paulo pero me recomendó ir con un reportero de aquí, de *El Correo*, que investiga esas cosas.

El Correo era el único periódico de Casas Chicas. Había visto un par de ejemplares en el condominio de Paulo, en Guadalajara: un pasquín de pocas páginas y una gama sin fin de yerros dedicado a difundir notas de beisbol, agricultura, ganadería y espectáculos, y a aumentar lo posible los retratos de chicas con más silicones que ropa.

—¿Y qué puede saber ese güey? —reflexionó Rabín.

—Más cosas que tú —la respuesta de Sofía no dejaba espacio para la réplica.

Alcanzamos la redacción del diario, ubicada en el segundo piso de un banco y junto a una tienda de paletas que tenía el dibujo de un pato chueco por mascota. Todos los bichos de las caricaturas parecían quedarles mal a los vallenses, pero nada los disuadía de pintarlos en casas y negocios: perros bizcos, gatos con narices de boxeador, astronautas contrahechos.

Se ascendía por una escalerita empinada que se abría paso una vez sorteada una puerta metálica. Arriba se topaba uno con la segunda puerta, de vidrio y madera, decorada con un letrero de "Pase Ud.", además del logotipo del diario y el lema que lo regía: "Información oportuna para el vallense enterado".

—Busco a Félix Franco.

La recepcionista, una chica alta, con el cabello peinado con espray y las uñas de colores, no levantó la mirada de la computadora en la que, pudimos darnos cuenta, se encontraba picada en una partida de solitario. La mujer se limitó a apretar el botón de un conmutador y levantó una bocina con una mano, la izquierda, que no estaba empeñada en el juego.

—¿Félix? Te buscan unos muchachos.

Dijo, en verdad, "mushashos", con el dejo vallense característico. Volvió a su partida y siguió ignorándonos. Sofía, encaramada en el mostrador, apretó los puños. Pese al tiempo que llevábamos distanciados, entendí que estaba a punto de saltar y torcerle el pescuezo a la mujer. Ni Rabín ni yo nos atrevimos a intervenir.

El reportero apareció en el umbral del pasillo que conducía a la redacción. Era un sujeto joven, veintipocos años, con hombros de luchador y cabello opaco y revuelto. Se vestía con gabardina y playera negras, pantalón de mezclilla blanca y botas de obrero, combinación que no supe si atribuir a una tendencia *glam* o al particular gusto vallense por echarse encima cualquier cantidad de cosas rarísimas. El tipo no nos conocía, así que levantó una ceja interrogadora.

—¿Ey?

Sofía lo encaró.

—Me dijo doña Emilia, de la plaza, que viniera contigo. Se llevaron a mi hermano.

Félix volvió a recorrernos con la mirada antes de hacernos pasar. La redacción de *El Correo* era del tamaño de una auténtica oficina postal. Es decir, un cuchitril diminuto. Contenía diez escritorios apretujados, dos despachos con puerta de metal y una mezcla de máquinas de escribir eléctricas y computadoras que ustedes, ahora, considerarían reliquias cavernarias.

Una bandera nacional y otra con el escudo heráldico del valle decoraban el muro de fondo. Tres o cuatro vejetes caducos y un par de muchachas formaban el resto del equipo editorial. Fuimos al rincón más apartado, de donde nuestro anfitrión había sido distraído a medio devorar una burrita y a punto de exterminar una coca-cola.

Luego de un penoso minuto en que guardamos silencio (Rabín no alcanzó silla y se quedó de pie detrás de mí), Félix apartó la bebida, metió los restos del almuerzo en el cajón y abrió los brazos con impaciencia.

—¿Qué pasó, pues?

Sofía se retiró el cabello de los ojos y se acomodó en su destartalada silla, tan frágil que crujió incluso bajo su poco peso.

—Se llevaron a mi hermano. O eso creemos. Salió de la casa en la madrugada o lo sacaron. No sé. Si salió, no dijo a qué ni con quién. Tenía que ir a buscar a este güey al aeropuerto pero no apareció y tuve que ir yo. Desde la mañana llamé a sus amigos pero nadie lo ha visto. Y hace rato nos marcaron a la casa. Piden dinero.

—Y te dijeron que no avisaras a nadie.

—Sí.

Félix comenzó a tomar notas en una libreta.

—¿Cómo se llama tu hermano?

—Paulo. Paulo Osuna.

El periodista volvió a observarnos. Parecía atónito.

—¿Osuna qué?

—Mendieta.

Al oírlo bufó como un toro bravo.

—Madres.

Se había llevado la mano a la frente. Comenzó a rebuscar entre unos papeles desplegados en el escritorio hasta que dio con uno enrollado, borroso y torcido, como todo lo que salía de un fax, esos aparatos del tamaño de una wafflera que estaban conectados a los teléfonos y enviaban y recibían información que se imprimía en unas hojas provenientes de grandes rollos de papel. Una tecnología que en aquel lejano momento era de avanzada.

—Estos boletines los manda la policía municipal —explicó.

Buscaba algo. Recorrió el documento hasta dar con lo que quería. Lo remarcó con un plumón verdoso y se lo puso en las manos a Sofía.

—Acá mencionan a un Paulo, así, con esos apellidos. Lo encontraron hace rato, por la mañana.

Alcancé a leer unas líneas: "Masculino, edad indefinida, golpe contuso".

Sofía había estrujado el papel. Se agitaba como si no pudiera respirar.

Le arranqué la hoja de la mano. Era el reporte de decesos de la jornada.

V

—Pues a mí me siguió un coshe por toda la carretera, la salida
a la carretera, pues, y hasta me aventaron un refresco a la ventana, los muy perros. Unos güeyes a los que rebasé en la curva
del estadio y se enojaron. Pero me les perdí.

Rabín topó conmigo por pura casualidad. Como no aparecí
en la casa de los Osuna luego de separarme de Félix Franco,
Sofía lo había mandado a dar vueltas por el pueblo (la ciudad,
decía él) para ver si me encontraba. Luego de recorrer cada
sitio que se le ocurrió y de perder la fe en el éxito de la misión,
Rabín se detuvo para comerse una burra de carne mashacada.
Necesitaba el apoyo de una para que el cerebro pensara mejor.

No se deja impresionar por la historia que le endilgo al
respecto de mi secuestro, escape y persecución, y ni siquiera
parecen interesarle los destrozos en mi camiseta o mi pobre
cara golpeada. Insiste en decir que él también tuvo una tarde
difícil. Claro: mientras yo me columpiaba en el borde del abis-
mo, a él le echaron encima una coca-cola. "No, pues qué gente", le digo. Es incapaz de pescar el sarcasmo, por supuesto, y
me da la razón.

—Inshe banda, sí.

El paso de las calles y los minutos le va colando en la cabeza la idea de que mi malaventura supera por mucho a la suya
y al fin entiende que, cuando nos encontremos con Sofía y le
refiramos todo, su propio papel en la historia quedará reduci-

do a polvo. Eso supongo, porque, en un semáforo, se atreve a deslizar:

—Entonces, te agarraron en la calle. Caray.

Le repito que sí, que acababa de separarme de Félix Franco, el periodista, en las afueras de la redacción de El Correo, luego de visitar el anfiteatro. Caminé un rato y, ya cerca de casa de los Osuna, al dar vuelta en una esquina, me empujaron. No vi nada: una luz frente a mis ojos, el concreto de la banqueta. Y ya.

Sentí, con algún retraso, el golpe en la cabeza.

Luego, el negro.

Oscuridad.

El blackout.

Abrí los ojos en el cuartucho aquel, al fondo de una propiedad en quién sabe dónde. O no tan quién sabe dónde, porque al salir me topé con el Campestre de Casas Chicas. Mi descripción despierta el ánimo indagador de Rabín.

—¿Una casa grande con alberca?

—Sí.

—¿Con una casita al fondo del jardín? ¿Una casita medio vacía, como para el velador?

—Sí.

—¿Y cerca del club?

Nos desplazamos, justamente, por la zona. Los perfiles de las fincas se hacen familiares y amenazantes.

—Sí.

—Ah. Pues hay varias. Así las hacen.

Es un asno. Lo miro con todo el adolorido desprecio del que soy capaz.

—¿Ya hablaron con el papá de Sofía? —pregunto, para salir del silencio que sobreviene. Rabín asiente con la cabeza.

—Sí. Se puso como loco. Nos llamó "mushashos pendejos" varias veces, me pegó de zapes y se fue con la policía. Sofía regresó a su casa por si hablan los malos.

Comienza a caer la tarde sobre Casas Chicas. La plancha, quemada por el sol de otros meses, ahora es barrida por un aire que raspa con la furia del invierno. La residencia de los

Osuna Mendieta está oscura y callada. Los focos navideños en la guirnalda de la puerta principal apenas dan señales de vida. Rabín se pega al timbre, sin respuesta. Parece que no hay nadie. En la azotea vecina un perro, al que nuestra presencia le debe parecer inaceptable, se entrega a un concierto de ladridos.

Gobierna una amable tranquilidad en el coto. Se escuchan gritos de niños a la distancia. Un poco más cerca alguien corea, a volumen bastante moderado, una canción en inglés: una balada melosa, deprimente. Nos sentamos en las escaleras de entrada, que son de cantera y resultan muy incómodas porque el trasero se congela en cuanto se posa en ellas. Estornudo. Rabín no es ni para decir "salud". De cuando en cuando, el idiota trata de retomar la conversación.

—Entonces, te pescaron en la calle, ¿no?

Ni siquiera me tomo el trabajo de responder. El viento revolotea a nuestro alrededor. Quiero regresar al auto y esperar allí, pero no seré el primero en aceptarlo. Rabín parece inmune al frío bajo su chamarra, pero yo tengo la camiseta rota y necesito un café, una manta, consuelo.

La voz parece venir de los mismos escalones y nos toma por sorpresa, como la de un fantasma.

—¡Vengan! ¡Vengan!

En vez de correr hacia ella salimos despavoridos en dirección contraria.

Somos unos héroes.

El parque, como todos, era frecuentado por una colección de personajes inevitables. La guapa de mediana edad que corría cada tarde y estaba en mejor forma que su marido (Sofía miró con desaprobación la forma en que la seguía con la vista); la pareja de novios que se comían a besos frente a unos niños que se fingían asqueados; el grupo, justo, de niños que jugaban a lo que fuera, a la pelota, al disco, a corretearse como cabras con tal de pasar la tarde.

La tía Elvira se había mostrado reacia a dejarme salir. Era extraño: siempre le daba igual que me fuera o incluso parecía agradecerlo por lo bajo, porque así no tenía que pasar el mal trago de irme a quitar del sofá de la sala para ver la telenovela de la noche. Pero mi regreso triunfal con el gato en las manos, el gran Tacho, la había conmovido.

Como no quería preocuparla con historias sobre el Ojo de Vidrio, le dije que lo había encontrado en el parque y ya. Ella refunfuñó pero me dio de cenar un atole menos aguado que de costumbre. Y comenzó a preocuparse por cómo iba en la escuela (estaba de vacaciones y no había atinado a darse cuenta), por cómo dormía y en dónde pasaba las tardes. "Voy a la biblioteca, ya sabes", decía yo, y ella respondía un "ah", pero al día siguiente volvía a preguntarlo.

Aquella tarde estaba de cacería en vez de estar instalado en mi mesita de la biblioteca, como hubiera preferido, con algún tomo sobre reinos invadidos por aberraciones o espadas míticas recobradas del fondo de una cueva. Me escondía detrás de unas matas de helecho, junto con Sofía, en espera de la noche.

Habíamos llegado demasiado temprano al lugar. En castigo, presenciamos cinco juegos de futbol, once de escondidas (sí, todavía se jugaba en la calle en aquellas épocas), veinte cortejos entre noviecitos, los trotes más o menos atléticos de quince mujeres y siete hombres, el paseo de ocho perros holgazanes. También las rondas de dos paleteros y de un tipo con una bandeja de pan dulce del tamaño del cofre de un auto montada en la cabeza.

Bostecé. Sofía hizo un gesto de fastidio, como si mi boqueada hubiera roto su concentración. Eran más de las siete de la noche y en la casa del Ojo de Vidrio no se había producido un solo síntoma de actividad. Apagada, silenciosa, con la fachada descarapelada y tiznada por toda clase de humos, la finca y los infinitos trastos apilados en su cochera parecían aguardarnos como una trampa. Eso temía yo: que el Ojo se hubiera percatado de nuestra presencia y se hubiera pertrechado dentro, en espera de que consumáramos el error de volver a incursionar en su feudo.

—Seguro que no tiene nada planeado —reflexionaba Sofía, rascándose la nariz con desesperación—. Y no puede llamar a la policía porque oculta algo. Y, además, tenemos martillos.

Ésa había sido su idea. Cada cual se comprometió a llevar a la incursión el arma más apropiada que encontrara. Revisé los cuchillos de cocina de la tía Elvira y las pocas herramientas que guardaba en un balde de aluminio del patio y concluí que el pequeño martillo con que claveteaba los adornos de Navidad era la mejor elección. Algo similar sucedió con Sofía: en la residencia de señoritas donde vivía no podrían tener disponible un arsenal. El marro con que clavaban las maderitas en las que enredaban las ramas del cultivo del jardín trasero era lo más parecido a un arma que pudo encontrar.

Me avergonzó constatar que su martillo era más temible y pesado que el mío. Peor aún, Sofía había ayudado en un par de ocasiones a colocar las maderitas y el jardinero le había enseñado a empuñarlo como era debido: lucía muy profesional. Yo, la verdad, no tenía mayor idea de cómo hacerlo y debí imitar el modo en que los dibujantes de las portadas de cómics solían colocarles las armas a los héroes. Pero no tenía en mi poder un sable mítico ni el mandoble exterminador de un caballero, sino un simple martillo. Conan el Bárbaro se hubiera jodido, desde la mismísima página siete, con uno de ésos.

Una cuña de luz apareció bajo la puerta. Se estiró, perezosa, como si fuera la luz del sol y no el escupitajo de un foco. El enemigo estaba allí. Salió y se entretuvo en echar la llave a la puerta. El Ojo se veía distinto de la imagen con que mi mente insistía en recordarlo. Quizá se había bañado, quizá tan sólo se había topado una mañana con que tenía demasiado pelo en la cabeza, demasiada melena y barba, y había decidido tusarse. Así lo vimos, con pelitos puntiagudos y canosos, una barba desigual y repegada a los cachetes, pero con la ropa oscura e informe de siempre.

Llevaba en las manos una hielera barata de unicel con manguito de plástico como sujetador. Debió darle frío porque se jaló de la espalda un capuchón negro para cubrirse. Una Caperucita Negra con todo y portaviandas. Los lobos éramos nosotros.

Antes de ponerse en marcha, miró hacia las copas de los árboles del parque y suspiró. Otro día de trabajo en el infierno. Se echó la mochila al hombro. Cerró la reja exterior con todo cuidado. Pasó una cadena en torno a la chapa y la aseguró con un candado del tamaño de mi mano. No quería visitas: eso era clarísimo.

El último rayo de sol se ocultó tras las casas del oeste. La escandalera de pájaros que nos había acompañado desde hacía una hora terminó de improviso. Podía imaginar a los bichos alados cerrando sus puertas de golpe y bajar las persianas para no ver lo que sucedería. Ya no había niños y sólo una parejita final, justo al otro lado de la arboleda, en una banca hundida entre penumbras, se besuqueaba con lentitud de caracol, toda manos y brazos.

El Ojo de Vidrio, a paso de anciano, aunque no tendría más de cincuenta años a cuestas, se perdió por la esquina. Esperamos aún cinco minutos para evitarnos la sorpresa de nuestra invasión previa; pero no regresó. Tuvimos que saltar de nuevo la reja, como la primera vez, porque el candado impedía el paso. Por fortuna no era más alta que nosotros; aun así, sujetarme a mí mismo lo necesario para apoyar el pie en el borde e impulsarme fue un ejercicio demasiado intenso para mis posibilidades. Nunca fui del tipo atlético y el miedo me hacía flaquear.

Sofía ya estaba en pleno combate con la cerradura. Lo perdió, lógicamente. Era claro que el Ojo de Vidrio había cambiado la chapa por una más segura. Pero llevábamos los martillos al cinto, como bárbaros en hora de descanso. No sé si por frustración o porque se le iluminó el entendimiento, mi compañera, sin detenerse a pensar en las consecuencias, asestó un diablazo justo donde se atornillaba la cerradura.

La puerta se abrió con un chasquido seco. Como si se hubiera activado una alarma, la marejada de olores repulsivos nos alcanzó. Olía como si el Ojo y todos sus antepasados se hubieran dedicado a despellejar chanchos en la sala y tuvieran por allí los restos de su pasatiempo.

La oscuridad se rompió en cuanto Sofía accionó el interruptor de luz. Hizo un gesto de asco infinito y se miró los dedos. Aquello debía estar más grasiento que el motor de un auto. Emparejé la puerta, que ya no se cerró. Quizás había echado a perder la chapa. Mejor así.

La pocilga del Ojo no había mejorado esa apariencia de combinación de matadero de reses con bodega de chatarra que recordaba. Me atrevería a decir que se encontraba más revuelta que antes, más sucia y hedionda. Avanzamos por la misma ruta que nos había permitido rescatar a nuestros gatos. El cuarto del fondo seguía igual, la silla y la mesita abarrotadas de papeles y restos gelatinosos imposibles, tapiado al fondo por un cortinaje tan manchado que parecía negro.

Sofía pisó algo pequeño y duro que rebotó y salió disparado hacia el frente. Se detuvo junto a la silla. Nos acercamos a ver.

Era un diente, un diente adulto y bien formado. Tuvo la sangre fría de levantarlo y mirarlo a contraluz.

Empuñé el martillo. Algo crujió en el piso superior. Una voz femenina, ajada y recia, nos asaltó.

—¿Hijo? ¿Volviste?

Félix Franco abrió la marcha en un *jeep* descubierto y humeante, al que le fallaban más piezas de las que le funcionaban. Tras él íbamos nosotros. Rabín manejaba y yo lo acompañaba adelante. Sofía se había acurrucado en el asiento posterior. Había decidido no decirles nada a sus padres hasta que confirmáramos lo que tuviera que ser.

Una mala noticia golpea en el estómago y en la cabeza. A veces en los dos al mismo tiempo. Nunca se está preparado para recibirla y podemos sentir que las fuerzas se van. Hablo de las noticias que afectan la vida y la tocan: accidentes, enfermedades y muertes de parientes y amigos, problemas sentimentales y familiares, líos económicos y de convivencia.

Sentía como si me hubieran sacado el estómago por la boca y me lo hubieran instalado en lugar del cerebro. Pero Sofía estaba tan abatida que me avergonzaba demostrar cualquier seña que opacara su derrumbe.

Casas Chicas pareció alargarse infinitamente. La agencia municipal a la que Félix nos conducía estaba al otro lado del pueblo, por la salida contraria a la que traía a los visitantes desde el aeropuerto. Salimos del centro al cinturón de calles prósperas y, luego de unos pocos semáforos, de vuelta al segundo cinturón, el de construcciones de adobe con el metal de los castillos asomándoles por las esquinas, hasta dar con la zona de casuchas de las afueras.

Allí, detrás de una curva, apareció una gasolinera y a su lado un estacionamiento desocupado, inmenso como un lote de remolques, en el que se aburrían una ambulancia y un camión de bomberos. Las puertas de la agencia municipal, de vidrio renegrido y cubiertas de cartelones que promovían números de urgencias y lemas oficiales sobre seguridad, brillaban al incierto sol. Estacionamos lo más cerca que pudimos, siguiendo el *jeep* del periodista. Rabín, que había mantenido un silencio ejemplar, se desbordó al apagar el motor.

—¿Y qué hacemos si es?

Sofía se esforzaba, era obvio, por no sacarle los ojos. Bajó del lanchón sin decir palabra y tuvimos que correr para alcanzarla, porque Félix y ella cruzaron las puertas sin detenerse ni esperarnos.

—Mejor no hables —le rumié a Rabindranath.

—Algo hay que hacer —se defendió él.

La recepcionista se concentraba en rellenar formularios. El aire de la agencia municipal apestaba a insecticida y cloro. Manaban desde el suelo y el mobiliario como si acabaran de sanear el lugar con esponjas gigantes. La mujer, con el cabello en perfecto orden y unas gafas que le daban una seriedad indiscutible, señaló el pasillo de la derecha.

La puerta del fondo aún estaba cimbrada por el golpazo con que la habían cerrado al pasar al anfiteatro. Un agente policiaco se distraía en repasar un ejemplar de *El Correo*. Resolvía el crucigrama. Ni siquiera levantó la vista cuando pasamos frente a él. El hedor a cloro predominaba ahora sobre los demás. Una mujer cubierta por una bata de afanadora trapeaba el pasillo con un ritmo que demostraba maestría. Me apenó pisotear su trabajo para alcanzar la oficina del forense. Rabín ni siquiera debió reparar en ello, porque en vez de avanzar de puntitas y pegado al muro, como yo, zapateó por el centro del mosaico.

Sofía estaba hecha un ovillo en una silla de plástico. Un par de metros allá, el periodista fumaba (aún no se prohibía en todas partes y era común que la gente fumara en hospitales, oficinas, maternidades y aviones) y procuraba mantener la mirada en el suelo. ¿Qué podría haberle dicho para hacerla sentir mejor?

—Ahorita nos pasan. Lo están preparando —se limitó a informarnos cuando nos vio llegar.

Nos sentamos en unas sillas al otro lado de la sala de espera. Había que darle a Sofía suficiente espacio. La pena necesita mucho aire a su alrededor. Hubiera querido abrazarla pero tuve la seguridad de que me tumbaría de un codazo en el hígado si lo intentaba. Me mantuve apartado.

Un médico corpulento y oloroso a lavanda salió por la puerta, muy pesada y sellada especialmente para mantener a punto el cuarto de refrigeración. Fue directamente con Félix.

—Acá están las identificaciones que encontramos cerca del cuerpo. Venían en una cartera. Las puedo entregar a los familiares cuando me firmen de recibido.

Nos acercamos a ver. Eran, sí, la credencial de la preparatoria de Paulo y una licencia de manejo. La que usaba allá en Guadalajara. Sofía no se acercó. Había subido las piernas a la silla, un gesto muy suyo, y hundía la cabeza entre las rodillas.

—Si quieren pasar, ya pueden.

El médico detuvo el mecanismo de cierre automático de la compuerta. Félix y yo condujimos a Sofía adentro, cada uno de un brazo. Rabín, con rostro inconforme, como si hubiera sido él quien debiera llevarla, se escurrió un metro más allá. La compuerta retumbó tras nosotros.

Era un cuarto amplio, iluminado hasta la locura por la luz blanquísima de unos neones. La peste era indescriptible. A pesar de la refrigeración y los limpiadores químicos, el olor de la carne en descomposición era el mandamás. Un aroma persistente, dulce, grasiento, espantoso. Recordé el escalofrío que me recorrió mucho tiempo antes, el día en que encontramos aquellas hieleras en casa del Ojo de Vidrio. Olía como un cuarto de matanza, el rastro en donde sacrifican a esas reses y cerdos que devoramos como fieras todos los días.

El rastro.

Camillas alineadas y vacías escoltaban el paso. Llegamos, al final, a la que correspondía. Un cuerpo recubierto por una sábana de pies a cabeza, malamente recubierto, en verdad, porque un pie descalzo asomaba por debajo, seco y traslúcido. Tuve que contenerme otra vez. Quería llorar, quería largarme.

A Sofía había que sostenerla y apuntalarla para que no se desvaneciera. Su brazo se había congelado. Voy a amoratarla, pensé, y si le aprieto más el brazo se lo rompo. Los pies no la obedecían y sólo los afanes de Félix y míos impidieron que se derrumbara. Logramos colocarla al lado de la camilla. El médico puso los dedos en la orilla de la sábana. Destapó el cuerpo.

Sofía emitió un grito y se abandonó a los brazos de Félix. Cerraba los ojos con furia, como si nunca más fuera a abrirlos.

El muerto era un muchacho delgado, alto. No sería demasiado mayor. Tenía la cara aplastada por un golpe. Lo habían recuperado del fondo de una zanja en las afueras, decía el reporte. A unos pocos metros había aparecido la cartera.

Tuve que contener una arcada y terminé acuclillándome.

El tipo tenía un espeso bigote.

Paulo nunca había logrado tener más que pelusilla y por eso se rasuraba cada mañana.

Aquel muerto no era nuestro.

El médico volvió a taparle el rostro.

Alguien me tendió la mano para ayudarme a poner en pie. Era Félix.

La madre del Ojo tendría unos setenta años y la cadera se le atoraba con una rigidez que indicaba una lesión, pero, con todo, se movía con agilidades de jaguar. Antes de que pudiéramos descongelarnos y volver sobre nuestros pasos, bajó por la escalera y nos cerró el camino.

Llevaba en la mano una pistola, la primera que vi en la vida y que hacía ver muy ridículos nuestros martillitos. Un arma pequeña, de cañón más corto y cuerpo más ancho de lo que hubiera imaginado. Pero suficiente, desde luego, para dejarnos fritos. Me avergüenza reconocer que di un par de pasos para que Sofía quedara colocada entre la loca y yo. Un héroe se habría entrometido, habría apartado a la chica de un salto. Yo no lo era. Retrocedí. Me oprimía el miedo.

La cara de nuestra captora se encontraba marcada por unas largas arrugas que le dieron un aire benévolo cuando sonrió. Pero quedaba claro que no era la risa de una abuelita sino la mueca de una cazadora. Movió el cañón para indicarnos que regresáramos al salón y caminó despacio para no perdernos de vista, con pasos acolchados por las pantuflas.

La habíamos levantado de la cama. Llevaba una bata y las perneras del pantalón del pijama asomaban debajo. Era probable que nuestra correría la hubiera agarrado en mitad de la telenovela de la noche (la misma que la tía Elvira estaría contemplando). La interrupción atizaba, sin duda, su mal humor.

Sofía me lanzaba miradas significativas, como si pudiera transmitirme instrucciones sin mover los labios. Supongo que esperaba que me arrojara sobre la viejita o que escapara por una ventana y volviera con ayuda. No logré descifrarlo antes de que termináramos acorralados.

No parecía que la madre del Ojo fuera a dirigirnos un discurso. Al contrario que esos villanos de película que atrapan al agente enemigo y, mientras lo amarran a una plancha de metal, cuentan sus planes, lo dejan a merced de algún ayudante y se marchan (y no se dan cuenta de que el agente romperá las sogas, matará al subalterno encargado de su desaparición, alcanzará al villano demagogo y le arruinará los planes y la vida), en vez de eso comenzó a rebuscar a su alrededor. Supuse que estaba decidiendo en qué rincón convendría dispararnos para que nuestra sangre no hiciera demasiado tiradero.

Pero no. Lo que buscaba era el teléfono. Era un aparato inalámbrico bastante moderno para la época (aunque ahora parecería el más viejo de los cacharros). Sin dejar de apuntarnos, marcó un número y otros más, y luego de decir "buenas noches" a quien fuera que contestó, habló muy lentamente.

—Mire, es un mensaje para el *beeper* cuarenta y cinco nueve cero cero diagonal nueve. Nueve, sí. Ese mero. El mensaje es: "Vente a la casa de inmediato". Sí. Ya. Muchas gracias, señorita.

El *beeper* es un recuerdo grotesco ahora, pero entonces era un medio común. Un aparatito que la gente llevaba en el cinturón o el bolsillo y que recibía mensajes escritos que se le dictaban a una operadora. El destinatario lo leía y lo ignoraba o actuaba en consecuencia. La gente cruzaba *beepers* de trabajo, de asuntos domésticos, de amor (si uno no tenía problema en dictar a un desconocido sus pensamientos íntimos, el otro no tendría problema en teclearlos). Todo ello desapareció con el triunfo de los teléfonos celulares, pero aquella noche, en la casa del terror, el *beeper* desempeñó su papel.

La madre del Ojo se sentó en la única silla del saloncito y nos contempló una vez más, como intentando reconocernos. Pero era más o menos imposible que nos hubiera advertido en nuestra única visita a su tienda, de camino a la lectura de la adivinadora. Escupió, al fin, un perceptible "bah". En el fondo, resulta aterrador que no se preocupara demasiado por saber quiénes éramos. Como si una multitud de invasores hubiera desfilado por su propiedad y ella estuviera hastiada de topárselos por allí y eliminarlos.

Mientras reflexionaba estas cosas y temblaba como un pez sacado del agua, Sofía había ido posicionándose fuera del alcance (al menos, del fácil alcance) de la mujer. Cuando nuestra apresadora se inclinó para dejar el teléfono en la mesa, tomó vuelo y le lanzó su martillo.

No, no son imágenes que recuerde en cámara lenta. Nadie recuerda así las cosas, es una farsa que utilizan las películas para enfatizar una escena. Las cosas ocurrieron a la velocidad simple de la realidad pero parecieron tan ilusorias como una fantasía, una de esas historias de dragones y caballeros con yelmo.

El martillo la golpeó en la cabeza.

Entonces, animado por escenas de embestida mil veces leídas y mil más soñadas, o encendido por tener a mi lado a Sofía, fue que salté. Conecté con la mano de la mujer cuando trataba de dispararnos. Creo que le rompí los dedos porque crujieron como hojuelas de cereal. También le di de martillazos a la pistola, ya caída, y logré partirla en dos o tres, el cañón separado del percutor, el gatillo brincando como un resorte fuera de sitio. La madre del Ojo de Vidrio ahogó un grito y se desplomó, tomándose la mano quebrada con la sana. Una herida del tamaño de una moneda le burbujeaba en la frente; tenía el rostro inflamado de sangre.

La vencimos.

Imagino que alguien dirá que no hay nada heroico en atacar a una anciana y responderé que salvar el cuello es lo más épico que puede intentarse en la vida. Y no hay enemigo simple. Si nos hubieran atacado unos zapatos de goma igual les hubiéramos dado de martillazos. Era vivir o morirse.

Tomé a Sofía de la mano e intenté que huyéramos pero ella se resistió.

—Espérate. Hay que encontrar pruebas.

Me aterraba la posibilidad de que el Ojo regresara antes de nuestro escape. Volví a jalarla.

—O encontramos algo o se van —refunfuñó.

Lo reconozco: yo era un asno. La obedecí.

Sofía extrajo unos cables eléctricos de una caja perdida en el caos del pasillo. Amarramos a la madre del Ojo (los dedos se le habían puesto negros), que lloraba quedamente y no opuso resistencia. También la amordazamos con cinta plata, como la que se usa para reparaciones de fontanería y que en aquella época se utilizaba para parchar roturas en los pantalones (eso ya no es normal, me parece, pero puedo jurar que entonces sucedía: llegué a tener varios así).

Apenas la dejamos convertida en una momia decente, el cansancio nos aturdió y nos dejamos caer al suelo. Sudaba como un loco y me revoloteaban en el pecho unas ansias de morder, de gritar. Sofía se frotaba las manos como si la atacara un fresco abrasador. Se había sonrojado y respiraba por la boca. Nos habíamos librado de morir, saltamos del tren a tiempo. Abatimos al dragón.

Recostó la cabeza en mis rodillas. Tenía una mueca que parecía de felicidad. Me tomó la cara con las manos y me besó. Nuestros dientes chocaron. La abracé y la jalé hacia mí. Todo en desorden, incómodo, veloz. Hubiera podido quedarme una hora allí. Un día. La vida entera.

Pero el *beeper* había recorrido su camino, la operadora había convertido en texto el mensaje, el Ojo de Vidrio lo había leído y se había precipitado a volver.

No hay hijo leal que desatienda un llamado de su madre, no hay hijo que descubra a su madre convertida en una especie de longaniza envuelta y no se ponga a rugir.

No huimos a tiempo y el ojo sano del Ojo de Vidrio, aparecido en el salón con la discreción de una araña, nos miraba.

Y su boca aullaba.

Pusieron ante nosotros la pequeña cubeta y la tomamos por asalto: tres cervezas para nosotros, para Félix dos más. Sofía le pegó un buche a la suya y tosió al pasársela. No había sido fácil convencerla de refugiarnos en aquel sitio pero el periodista aseguró que era uno de los pocos lugares en el valle donde a nadie le interesaría escuchar lo que se dijera en la mesa. Sofía estaba convencida de que era vital que mantuviéramos el asunto lo más secreto posible y aceptó.

La voz se le quebraba todavía. Pese a que la tortuosa comprobación de que el muerto del anfiteatro no era su hermano parecía haberla serenado, el hecho de que las identificaciones de Paulo aparecieran a unos metros del sitio donde dieron con el fiambre no ayudaba a que la cosa pudiera tomarse con optimismo.

—A la mera, los secuestradores aventaron las cosas a la zanja sin saber que estaba el muerto abajo —conjeturó el periodista, rascándose la cabeza—. Allí aparecen cuerpos a cada rato. Es un pinche basurero.

Los tipos no se comunicarían de nuevo sino a la mañana siguiente, según habían establecido en su llamada, así que podíamos concedernos un rato para bajar el pánico a base de cerveza clara y helada. Nos embuchamos la cubetita en tiempo récord.

Félix salió al pasillo del bar de ambiente vaquero al que nos había llevado, su lugar habitual de operaciones, según expuso (y en el que, claro, nadie nos pidió comprobar nuestra edad antes de entrar, porque en el pueblo y en esa época a nadie le preocupaba tal asunto), y desde el teléfono público llamó a los hospitales y la policía para asegurarse de que allí no se encontrara nuestro amigo. Pero no: nadie con la descripción de Paulo, además del cuerpo descartado, había sido llevado a Urgencias o detenido en Casas Chicas y sus alrededores en los últimos días. La policía, por otro lado, no aceptaba denuncias por desaparición sino hasta después de setenta y dos horas que la persona no fuera vista. Y todavía faltaba para llegar a ese punto.

Félix solicitó a la mesera una segunda cubeta. Una canción atronadora surgió de las bocinas. Algo ruidoso y sentimental que podría describirse como *country* ranchero. Mi educación musical provenía de las estaciones de radio que sintonizaba el bibliotecario allá en Guadalajara: puro *rock* viejo, eso que llamaban *oldies*. Mi oído era feliz así. No necesitaba los balidos dolientes de un *cowboy*.

Aún no había demasiados clientes, apenas un par de mesas con unos jovencitos algo mayores que nosotros estrenando ropa invernal y atiborrándose de cecina para acompañar la cerveza. Las meseras, un par de chicas con botas puntiagudas, sombrero tejano y *jeans* imposibles de tan pegados, conocían el viejo arte de servir y que nada faltara sin resultar molestas. Eran vistosísimas e invisibles a la vez. Y debían conocer bien a Félix porque se le colgaban del cuello cada vez que pasaban por nuestra mesa.

Sofía interrumpió mi contemplación. Estaba, claro, demasiado preocupada como para concederme más que una mirada desaprobatoria por andar siguiendo con la vista a las vaqueras.

—Mi papá no parece preocupado todavía. Y mi mamá, por lo pronto, no cuenta. Pero si Paulo no aparece pronto van a hacer preguntas.

Como Félix levantó las cejas ya se disponía a interrogarla, Sofía recomenzó la historia entera, incluida la exigencia de los raptores de mantener alejada a la policía.

—Tus jefes tienen que saber —concluyó el periodista.

—No es tan fácil —se le escapó a Sofía.

Su padre era un tipo sencillo y trabajador, dijo, pero desde que se quedó sin conocidos en el gobierno municipal que le dieran obras, hacía ya un par de años, no había tenido proyectos entre manos. Dejaba pasar los días en casa, mirando el televisor, a la espera de una llamada que no llegaba. No era, digamos, un hombre de acción. Lo más probable es que no supiera qué hacer y entorpeciera las cosas.

Por su lado, la madre era orgullosa descendiente de los Mendieta, una casta de abogados que les habían dado a los ciudadanos de Casas Chicas dos diputados, un alcalde y hasta un par de directores de padrón y licencias.

—Si mi mamá se entera va a hacer el desmadre del siglo. O se trae al ejército y Paulo acaba muerto. ¿Sí sabes cómo es, Rabín? ¿Te la imaginas? Se va a volver loca y, por demostrar quién es, no pensará en mi hermano. No. No debe saber nada.

Rabín asintió con la cabeza. Lucía inquieto, nervioso. Había alcanzado la cajetilla de tabaco del periodista y jugueteaba con ella. La deslizaba entre los dedos y la hacía girar. Como quien no quiere la cosa, terminó por hacerse de un cigarrito. El encendedor estaba allí, a un par de centímetros. Fue cosa de un segundo que le prendiera fuego a la punta y comenzara a chupar el resultado de la combustión.

No le salió del todo mal. Aunque tosió un par de veces y la cara se le oscureció, resistió el golpe y siguió dándole. Aún no llegaba la época en que las cajetillas de cigarros advirtieran de los efectos nocivos de su consumo con esas simpáticas fotografías de ratas muertas, fetos encogidos y enfermos terminales acompañados por leyendas amenazantes que ahora las agracian.

Sentí cierta envidia de la adultez que demostraba el clavadista y lo imité. El cigarro sabía a papel y a hierba seca. Pero fui prudente. No me atreví a chupar el humo y sólo dejé que ardiera en mis labios como si supiera lo que estaba haciendo.

Mientras Rabín y yo descubríamos un nuevo vicio, Sofía se concentraba en intentar explicarnos a su madre. Doña María Inés Mendieta era una tirana, una Reina de Corazones que habría mandado a decapitar a todo el planeta si hubiera estado en su mano ordenarlo. Como no podía, se limitaba a detestarlo en su escala doméstica.

Odiaba Casas Chicas, claro, porque le parecía un pueblo rabón, pero no se había ido porque el resto de los pueblos del valle le parecían igualmente estúpidos, con el agregado de que en ellos no era persona importante. Pero apenas sus hijos concluyeron la escuela primaria había dispuesto que se fueran a estudiar a Guadalajara, no fuera a ser que terminaran mezclando su educación con la de los brutos de sus paisanos (como tapatío que conocía los alcances de su ciudad, tuve que hacerme el disimulado, porque tampoco es que fuéramos Atenas).

Menos mal que todo había sucedido mientras se encontraba concentrada en organizar las bodas de oro de sus padres, porque de otro modo ya estaría ardiendo el mundo, concluyó Sofía.

—Tenemos que encontrar a Paulo antes de que se entere.

No, no era que la suerte de su hermano le diera igual, sino que la sombra de la mamá era demasiado pronunciada. El miedo rebasaba su sentido común. Era casi increíble ver que Sofía podía temerle a alguien.

Félix interrumpió para hacernos unas puntualizaciones. Los secuestros habían aumentado en Casas Chicas en los años pasados, dijo, pero se habían concentrado en azotar a ganaderos y agricultores y rara vez a sus familiares. Muchos de ellos habían sido liberados tras pagar un rescate. Otros no y acabaron en la plancha. Sin embargo, unos meses antes habían detenido en Estados Unidos a los líderes de una banda, al intentar hacer efectivos unos bonos gringos en un banco. Desde entonces, los raptos mermaron.

También había otro tipo de casos: los de jovencitos, chicas y chicos, que sencillamente se esfumaban. Salían a la escuela o al trabajo y no se volvía a saber de ellos. Otros más eran migrantes del sur, a quienes se veía deambular por el pueblo y de quienes no volvía a saberse más. Unos y otros eran infinitamente vulnerables. Quizá se iban o alguien se los llevaba.

—Como la chava de los carteles de la plaza —señalé.

Félix resopló, súbitamente triste. Asintió en silencio.

—¿Y ahí qué?

El periodista le dio otro sorbo a la cerveza. Consternado, le arrebató la cajetilla a Rabín y se prendió un cigarro. Deduje, un poco tarde, que alguna relación de parentesco tendría con la mujer que nos había conducido a él.

—No lo sé. Pero no creo que el caso de su amigo sea de ésos, porque a ustedes los llamaron.

—¿Y si vamos con la policía? —dijo, brillante, Rabín.

Sofía le soltó un manazo en la cabeza.

—¿Te callas?

Hubiera querido una nueva cubeta para aclarar aún más la mente pero Félix lo impidió. Sugirió que lo más sensato era esperar la nueva llamada de los secuestradores y tratar de manejarla lo mejor posible.

—Si de verdad no quieres ir con los agentes ni con tus papás, fájate y aguanta. Toma nota de lo que quieren y ya luego decides qué.

Salimos del bar en filita india. El periodista cerraba la marcha. El cielo era un paño negro, las luces del pueblo titilaban como fogones y un ventarrón barría la calle.

—Llámame mañana. Igual sigo buscando en hospitales y eso. Nomás acuérdate que tienen a tu hermano. Neta, deberías dejar que alguien se metiera.

Sofía agitó la cabeza, no sé si como agradecimiento o como negación. Se estrecharon la mano. Félix se sopló el cabello de los ojos, hizo una reverencia y caminó hacia su *jeep*. Un estallido indicó que lo había puesto en marcha. Se perdió por la esquina.

Ya hubiera querido tener la mitad de su estilo.

VI

No es un fantasma.

La que nos llama es Sofía, que salió por una puertecita invisible para nuestros ojos extraños. Rabín ya alcanzó el otro lado de la calle —tengo que reconocer que es más rápido que yo— y se aleja hacia la salida del coto. Detengo mi escapatoria y regreso.

Mi amiga, si es que puedo llamarla de ese modo, se nota sudorosa y desesperada. Los ojos, llenos de venitas rojas a la luz del foco, parece que fueran a salírsele.

—¿Dónde carajos estabas? —grita.

Le refiero velozmente lo que pasó. El golpe, la oscuridad, el despertar, la persecución.

Escucha, medita.

—Deben ser unos idiotas si te les escapaste —remata.

Me ofendo bastante.

—Bueno. A ver —prosigue—. Mi papá ya fue con la policía y todavía no regresa. Se puso mal cuando le dije. Prohibió decirle algo a mi mamá y me mandó derechita para acá. Y acá encontré huellas.

En vez de esperar a que digiera el caudal de datos, se mete otra vez por la puertita. La sigo, colándome entre unas matas y arañándome la cara por no seguir el caminito de mosaico marcado sobre el pasto. ¿Por qué nada me sale como es debido? Doy con una escalera muy inclinada que conduce a un sótano.

Unos neones lo colman de luz. Es un cuarto impecable, repleto de estantes metálicos en donde se acopian cajas de herramienta y materiales eléctricos y mecánicos que provendrán de las viejas obras de don José Carlos. En el centro hay una mesa con patas de metal y una tabla superior de madera, pulida y brillante, para proyectar planos, imagino, y en la que, por lo pronto, sólo se ven unos libros en inglés (en montoncito perfecto, de mayor a menor, señal de que mamá acomodó todo) y un teléfono.

Como si rezara, Sofía está de rodillas en el rincón. Me acerco y descubro lo que observa: una mancha en el cemento pulido del suelo. Oscura, con churretes.

—Creo que es sangre.

A un paso hay un papel arrugado que desenreda con dedos trembleques. Es un boleto, el comprobante de una caseta de pago de la autopista que viene del Pacífico, desde Guadalajara.

—Esto tiene que ser de Paulo.

Se pone de pie y dice lo inevitable.

—Creo que aquí lo agarraron.

—¿No deberías llamar a tu papá para que avise de esto?

—Se lo digo cuando venga.

Se encarga de apagar las luces y cerrar tras de sí. Me urge contarle los detalles de mi larga aventura, para ver si se conmueve, pero aún no es momento. Subimos. En el jardincito damos con Rabín, quien, empuñando valerosamente una escoba, parece que quisiera saltarnos encima. Nos reconoce y se domina. Con una risita de disculpa deja su armamento por ahí, apoyado contra el muro.

En la casa de los Osuna no hay actividad. La televisión, en silencio, emite un juego de beisbol (cubano, me parece entender), pero la transmisión, entrecortada, apenas se deja ver. Las antenas parabólicas captan lo que les pega la gana. Nadie las entiende. Hay platos vacíos, latas de cerveza aplastadas, un cenicero colmado de colillas.

El resto de la casa, oscura salvo por el árbol de Navidad olvidado en una esquina, se encuentra en poder del silencio. Entramos a la cocina. Sin preguntar, abro el refrigerador y me hago de una lata de cerveza que me vacío de inmediato al gañote.

—¿No tienes frío? —se burla Sofía.

Repara en que no llevo chamarra, en que mi playera tiene tres o cuatro roturas enormes, mi cara está golpeada y mi aspecto general es justo el que se podría esperar: el de alguien que fue raptado, escapó, fue perseguido a balazos y apenas salvó el pellejo. Pide que le repita mi historia y esta vez parece, por fin, aquilatarla. Se queda con la boca abierta.

—Me lo encontré por el parque de beisbol —reafirma Rabín, que interpreta bien el susto de Sofía—. Medio muerto estaba. Me lo traje acá.

Aprovecho su mutismo para ir a la recámara en donde me tienen hospedado (tengo que encender una luz porque no se ve un carajo en los pasillos) y cubrirme, al fin, con una nueva chamarra, no sin antes encimarme una camiseta limpia y un suéter. El calor me rodea. Al fin.

En la cocina, Sofía gritonea a un Rabín que no sabe qué responderle porque apenas conoce los detalles de mi incidente. Calla cuando entro. Se acerca, repentina como una pedrada, y me abraza. El frío regresa.

Va a decir algo pero la puerta de la casa es más rápida: se abre. Unos pasos furtivos nos ponen en guardia.

—¿Papá? —susurra Sofía con pánico.

No hay respuesta.

Rabín se arma otra vez, ahora con un trapeador. Sofía toma un cuchillo del cajoncito. No encuentro nada más contundente que un rodillo para amasar pan y temo que no servirá de mucho en estas circunstancias.

Apiñados como hormigas, avanzamos hacia la lengua de luz que lame el pasillo. Mi esqueleto retiembla, mis manos apenas retienen el estúpido rodillo que tendrá que ser mi espada. Sofía, claro, abre la marcha.

Hay una silueta negra justo frente a la puerta.

Una ráfaga de aire nos aturde.

Es el maldito destino.

El Ojo de Vidrio avanzó con las manos desnudas como tenazas. Una furia troglodita le desbocaba el aliento y le proyectaba el ojo útil fuera de la cuenca (el otro yacía como un pez de estuco, inmóvil y gélido). Los dientes se le trababan y me atrevería a jurar que un hilo de baba le escurría de las comisuras.

Sus motivos eran claros: habíamos abatido a su madre (que se agitaba como gusano en su prisión de cinta de plata) y nos detestaba. Su plan era transparente de tan sencillo. Quería matarnos. No resultaba fácil esquivarlo en medio de las toneladas de basura amontonada. Se arrojó contra mí, pero logré hacerme a un lado y terminó por chocar contra unas pilas de periódicos, que se derrumbaron sobre otras tantas sillas viejas. El estrépito fue cosa seria.

Aprovechando el tropiezo le conecté un martillazo en el hombro, que dio justo en un hueso y provocó su primer grito de la noche, un berrido curiosamente agudo. Corrimos por el pasillo hacia la puerta, pero la oscuridad nos jugó una mala pasada y tomamos la salida equivocada por un salón lateral.

El corpachón del Ojo de Vidrio obstruía el marco de la puerta: no podíamos volver. Un rayo de luna se colaba por la ventana, medio opacado por una sábana claveteada. Si la luz hubiera sido suficiente quizá podríamos haber visto la sonrisa en el rostro amoratado de nuestro perseguidor.

Sofía volvió a jugar la misma carta y le arrojó el martillo, pero el Ojo era más hábil que su madre y consiguió interponer la mano. Se llevó un buen golpe, claro, pero el marro se desvió y rebotó en algo blando, quizás una pila de ropa, sin causarle más daño que unos dedos magullados.

Estábamos perdidos. El Ojo resopló y, sin decir palabra, prosiguió el ataque. Una serie de imágenes espantosas atravesaba mi cabeza: la versión sanguinolenta de la cortinilla de un anuncio. Nos estrujaría, nos apretaría los cuellos y nos vería morir.

Retrocedimos, a punto de caer a cada paso por culpa de la omnipresente basura (cosas de metal que caían y resonaban o de plástico que se hundían al ser pisadas). Topamos con pared. No había a dónde huir sin eludir antes al monstruo. El sudor escurría como una cascada por mi espalda.

Jamás fui buen tirador. En realidad, fui un pésimo alumno de educación física. Era de los que se ponchaban en tres lanzamientos, de los que no acertaban a la canasta, de los que no metían gol ni de rebote, de los que nunca ganaron una carrera. No fue sino el ciego instinto de que no me lastimaran y no tocaran a Sofía (el sabor de sus labios, su piel atezada, suave) el que movió mi mano.

Le pegué al Ojo de Vidrio en la nariz, en el mero puente, aunque le había apuntado a la coronilla. Se escuchó un agradable "croc" y el tipo cayó con un grito que debe haberse escuchado en todo el barrio. A la vez, Sofía arrojó contra la ventana cegada por la sábana algo pesado, metálico, que había encontrado a sus pies y atesoraba como último recurso de combate. El vidrio se derrumbó con un estallido de luz.

Intentábamos saltar por la ventana cuando apareció la patrulla. Un baile de luces rojas y azules y una bocina seca, estridente, como la voz de un extraterrestre que se aclarara la garganta. Estaba allí, justo afuera, como caída del cielo. Dios bendiga a los vecinos, pensé.

—¡Acá! ¡Acá estamos! —gritó Sofía.

Empeñados en escapar, no pudimos ver que el Ojo había conseguido incorporarse y, lejos de perseguirnos, se arrastraba casa adentro.

Fui el primero en bajar a la cochera y la ayudé. Pisoteamos unas plantas pálidas y mohosas, embutidas en cubetas que se caían de viejas, antes de conseguir alejarnos. La reja estaba abierta: el Ojo había olvidado asegurarla en su precipitado regreso.

Eran un par de policías de barrio muy entrados en carnes y canas. Los abrazamos como si fueran nuestros ángeles de la guarda. Iba a escribir que Sofía lloraba, pero no: era yo el que lo hacía. Ella se limitaba a cerrar los ojos y resoplar. Y fue quien tuvo el aliento y la concentración suficientes para decirles a los oficiales que adentro pasaba algo terrible, que había dientes, carne en hieleras, algo atroz, resbaloso, espeluznante, y que era urgente detener a los habitantes de aquella finca del infierno o prenderle fuego con ellos dentro.

—Son la madre y el hijo. El hijo tiene un ojo de vidrio.

Uno de los oficiales se desembarazó de su abrazo y corrió a la patrulla para pedir refuerzos. El otro indicó que nos ocultáramos. Desenfundó la pistola: el labio inferior se le colgaba como el de un *bulldog*. Aquélla no era una colonia en la que pasaran esas cosas, dijo (lo que era, en realidad, una gran mentira). Como fuera, se hacía necesario esperar la camioneta de apoyo.

Pasaron cinco o diez minutos, no lo sé. Justo cuando las luces de la torreta de los refuerzos aparecieron al otro lado del parque, se escuchó un estruendo de vidrios rotos y nos envolvieron unos gritos penetrantes y odiosos como los de una bruja.

El Ojo y su madre.

Aparecieron en el umbral. Él la sostenía por la cintura y la aferraba contra el pecho. Con la otra mano le apuntaba. Tenía, sí, una pistola mayor que la que habíamos roto y se la apoyaba contra la sien. Enloquecida, rota, la mujer emitía chillidos alucinados. Apenas si podía caminar. La fuerza demente de su retoño la sostenía. Los pies le arrastraban.

Otros policías aparecieron en escena. Su vehículo quedó allí, a media calle, con las puertas abiertas.

—La va a matar —susurró Sofía, fascinada ante el horror de la escena. Nos habíamos refugiado junto a una vagoneta lechera estacionada a unos metros, sobre la banqueta.

La mujer gemía. El rostro del Ojo no daba lugar a ninguna presunción de piedad.

—¡Suéltala! —gritó el jefe de los recién llegados. Era el tipo a cargo, claro: su voz se elevaba más autoritaria que la de los otros, su uniforme tenía más adornitos colgados.

El Ojo no hizo el menor caso. Avanzó con el cañón del arma en la cabeza de su madre. Alcanzó la reja. Los agentes desenfundaron sus pistolas pero no se atrevieron a disparar. Como en un *ballet*, se reubicaron en torno al Ojo, mientras éste se colaba entre ellos sin darles la espalda ni dejar de lanzarles gruñidos amenazadores. Tampoco fueron capaces de hacer nada cuando el fulano se acercó a la patrulla y, arrastrando a su madre con él, se encaramó al asiento del piloto.

Los policías daban de gritos y lo amagaban pero ninguno se animó a interferir. Quizá los asustaba el posible regaño de sus superiores o la humillación en la prensa si le pegaban un tiro a quien no debían. Apenas si parpadearon cuando el Ojo encendió el motor. En su regazo, con la pistola insinuándosele contra el cráneo, la madre había cambiado de expresión. No sé si era un gesto de sufrimiento, si trataba de lamerse los restos de sangre que manchaban su cara luego del golpazo de Sofía o si se estaba riendo. Creo que esto último era la verdad. Lo disfrutaba.

—Los voy a encontrar —dijo el Ojo, cuya voz sibilante nunca había oído hasta ese momento.

Nos miraba con persistencia, como si quisiera tatuarse nuestra imagen en el cerebro.

—Me los voy a fregar.

Pisó el acelerador; la camioneta salió disparada. La puerta del copiloto se cerró de golpe. Algunos agentes se apelmazaron en el intento de subir a sus patrullas y otros perdieron unos segundos preciosos en transmitir por la radio los datos del vehículo en fuga. Al fin, dos de ellos se lanzaron a la persecución. El jefe, que era un inepto, seguía dando berridos y repartiendo zapes y empujones entre los demás.

Un lejano rechinido de llantas testificó que madre e hijo habían conseguido huir.

La luna se fue tras ellos.

La segunda llamada de los secuestradores ocurrió temprano, en un momento ideal. La madre de la familia Osuna seguía lejos, atrapada en los asuntos de la fiesta por venir, y don José Carlos, por su lado, decidió que era buena mañana para marcharse al supermercado y abastecerse con más botanas y cervezas. También quería cortarse el cabello (usó la curiosa palabra "peluquearse") para estar presentable en el festejo de sus suegros. Se perdería por varias horas.

Chuy, el subalterno con quien veía los partidos, pasó a buscarlo a eso de las diez. Apenas dijo "buenos días" con un rezongo y me palmoteó la espalda. Cruzaron comentarios sobre la fiesta ("Van a llevar un tenor de la capital, va a estar buena") y, al fin, luego de engullir el contenido de un recipiente con fruta picada, se largaron.

Una hora después, ya sin testigos incómodos de por medio, se produjo la llamada. Sofía, que daba vueltas entre la cocina y la sala de televisión como un pájaro que no encontrara la salida de la jaula, corrió al aparato más cercano, junto al refrigerador. La conversación con los raptores fue corta y brutal. Sólo alcanzó a decir que sí tres o cuatro veces y, por último, murmuró un "entiendo". Colgó con lentitud.

—Dicen que Paulo está bien. Y quieren cien mil pesos.

Me llevé las manos a la cabeza. Para mí esa cantidad representaba una fortuna impensable. Quizá sean ricos y les parezca una bagatela pero esto sucedió hace más de veinte años. Uno podía comprarse un buen automóvil con ese dinero y todavía alcanzaba para largarse de vacaciones.

Sofía desconfió de inmediato.

—Mi hermano vale más.

No lo decía en el aspecto espiritual ni cosa semejante. Hablaba de cifras frías. Podrían haberle pedido el triple con una mano en la cintura (y la otra en la pistola). Se dejó escurrir al piso y escondió la cara en las rodillas. Hubiera querido acomodarme a su lado y reconfortarla, pero nunca fui bueno para sentarme en el suelo: me parecía un privilegio de perros o gatos. A su lado y de pie, le acaricié el cabello.

No se me ocurrió nada mejor.

La noche fue tormentosa. Aislado en el cuartito de la biblioteca y atenazado por el frío, tardé en conciliar el sueño. Trataba de recordar los tiempos en que Sofía y yo resolvimos lo del Ojo. Vaya, decir "resolvimos" no deja de ser una exageración, porque el enemigo y su madre lograron escapar. No se volvió a tener noticia de ellos en el barrio y la tienda de gatos quedó en el abandono.

Los bichos concentrados en el local fueron el siguiente problema. Sofía se angustió al pensarlos encerrados, sin aire fresco, agua y alimento, y organizó una campaña en el colegio para que sus compañeras los adoptaran. Luego de varios ruegos, la policía aceptó repartir a la mayoría de gatos. Conservaron apenas un par para las revisiones que exigía el expediente.

—Comenzamos esto por los animales —recordó Sofía, muy satisfecha.

Sin embargo, la campaña acabó por ser una pésima idea. Al avanzar la investigación, quedó claro que el Ojo y su madre no lastimaban a los animales que hurtaban y vendían: lo que hacían era sobrealimentarlos con la carne de las hieleras. El análisis de los restos encontrados en ellas (y en el estómago de las bestias) demostró que correspondían a vestigios de carne humana (el diente en la salita de estar fue otra prueba incontrovertible). Al parecer, madre e hijo se habían encargado de filetear algunos cristianos y, posteriormente, los habían hecho desaparecer en forma de comida para gato. Eso, junto con la abundancia de basura y la ausencia de cualquier medida de higiene, explicaba la peste de aquella casa perniciosa.

La policía no divulgó el asunto para evitar que se armara un escándalo. Si supimos de él fue porque Sofía se empeñó en reclamar la libertad de los bichos retenidos para la indagación. Enviamos cartas, hicimos antesalas, llegamos a llamar a tres programas de radio con micrófono abierto antes de que uno de los jefes de la policía municipal nos citara en su despacho y confesara la verdad. Nos pidió guardar silencio.

Salimos de allí demudados. Habíamos conseguido que repartieran entre familias inocentes una serie de mininos alimentados con carne humana. La idea resultaba profundamente incómoda. La posibilidad de que Tacho se convirtiera en una fiera incontenible me paralizaba y la mirada malsana que me solía conceder desde su puesto en el sillón comenzó a darme pálpitos.

Malditos gatos.

La otra consecuencia del episodio fue aún más dañina: me enamoré de Sofía y ella no hizo nada. Corrijo de nuevo: sí hizo. Me llevó al parque todas las tardes, durante algunas semanas, y luego se esfumó antes de que pudiéramos hablar o de darme la oportunidad de entregarle la cartita que le había escrito. Quizá por considerarme cómplice en el reparto de los gatos zombificados (aunque ella era la responsable principal), o quizá porque se cansó de tenerme ahí, babeando a sus pies, un buen día no apareció más por la biblioteca ni volvió a pisar el parque.

No fui capaz de dar con su residencia para señoritas ni con su colegio, aunque, visto a la distancia, es probable que mis intentos, que fueron mínimos, hayan sido cohibidos por el sentimiento de pérdida que me azotó y la subsecuente furia: Sofía se me había acercado e impuesto en mi agenda, me había convertido en su camarada de viaje, me había besado y me había permitido tocarla y luego me había apartado como al empaque vacío de un pastelito.

La ausencia lastimaba como una enfermedad. Era como perder al mundo entero. No tenía otros amigos y nunca antes había intimado con una chica. Carajo: nunca antes besé a nadie ni siquiera en sueños. Era un costal inútil en aquel entonces, lo acepto. Sofía, en cambio, era segura y hábil. Finalmente la mezcla de inexperiencia con impaciencia se nota. Es como cuando alguien que no sabe quiere bailar y acaba por pisarle los pies al compañero.

Sofía, corrijo mis palabras, representaba para mí bastante más que el resto del mundo. Nuestro beso en el saloncito de la casa del Ojo de Vidrio había sido torpe e incómodo, y el desenlace aterrador de esa noche no lo ayudó a ser mejor recordado. Pero a partir de aquella noche asumí que volveríamos a besarnos y me volví un pelmazo. Estaba de mal humor todo el tiempo y le discutía a Sofía cada frase porque me carcomía la prisa por volver a intentarlo. Me temo que ella lo notó y, luego de un par de ocasiones en que jugó conmigo y me llevó a un rincón del parque sólo para exasperarme hablando de gatos (y luego reírse como una loca), una tarde me citó y pronunció con toda seriedad:

—Tengo que enseñarte.

Me tomó la cara entre las manos y comenzó a besarme. Olía (aún tengo el aroma en el fondo de la nariz, como el primer día) a jabón y a crema de manos fina (digo fina porque la barata, como la que usaba mi tía, tiene un cierto gusto a lonche y no resulta precisamente afrodisiaca). Yo cerraba los ojos (o los abría repentinamente, para ver si la sorprendía) y trataba de seguir la cadencia de su lengua y no lastimarla. Pensaba que de eso se trataba el asunto, hasta que me dio el primer mordisco.

Luego pasamos a usar las manos. Sofía comenzaba a aleccionarme sobre cómo acariciarla y cómo colarle los dedos debajo de la blusa con una voz seria y profesional, como si fuera una profesora, pero, luego de un rato, la traicionaba la risa.

En las tardes solíamos tendernos sobre un prado oculto de la vista por un macizo de arbusto y rodábamos en la hierba. El día que Sofía me acarició la espalda por debajo de la playera pegué un brinco tal que casi le tumbo los dientes.

—Pareces un monaguillo —se enfurruñó. Cuando me regañaba se le marcaba el acento fuereño.

Aquella fue la última tarde. No volvió.

Como creo que les sucede a otros en estos casos, me amargué muchísimo, la odié en silencio, la di por perdida y me reconcentré en la biblioteca y la escuela. Por las noches me encerraba en la recámara y miraba el techo. Me sentía tan desolado que no era capaz ni de llorar. Tardé en recobrarme y, al fin, luego de una temporada de absoluto abatimiento, logré recluirla en una suerte de desván mental: el cuartito de los cachivaches sentimentales, al fondo de mi estantería de autoconmiseración, junto a la orfandad, los recuerdos del año que estuve enfermo y los otros.

Y funcionó hasta el día en que me la topé en la sala de Paulo, lista para torcerme la vida de nuevo.

Todo eso, todo lo que me importaba, hubiera querido contárselo en Casas Chicas, mientras ella lloraba tendida en el suelo de la cocina. Pero no hice más que acariciarle las puntas del cabello y esperar a que se pusiera en pie. Debo reconocerlo: idiota como siempre fui, llevaba en la maleta la perpetua cartita. Hubiera querido dársela, pero aquel momento era el peor imaginable.

Al menos el tarado de Rabín, que se había comprometido a regresar temprano, no estaba aún allí, con su risa de mono.

—Tengo que decirle a mi papá —murmuró al fin Sofía, con ojos húmedos y enrojecidos.

Se había rendido.

El día aún se guardaba varios pésimos ratos en la manga. Rabindranath llegó a las once, con un par de vasitos de café preparados, según dijo, por las venerables manos de su padre. Uno era para Sofía y el otro para él. Me había ignorado, claro. Recibió las noticias sobre la llamada con una seriedad impropia de su cretinismo.

—¿Cien mil pesos? Yo te los consigo —declaró.

Sofía lo miró con una dulzura que me dobló las tripas. Tardó un par de minutos en responder.

—No puedo. Tengo que hablar con mi papá.

Volvió a sonar el teléfono. Nos miramos con preocupación, pero no eran los raptores quienes marcaban, sino Félix. Sofía cruzó unas pocas palabras con él.

—Apareció otro cuerpo. No se parece mucho a la foto de Paulo que le di. Pero hay que ir.

Parecía indecisa.

—No es Paulo, estoy segura —intentó animarse.

Así que me pidió acompañar a Félix al anfiteatro. Ella, decidió, iría a buscar a su padre a la peluquería y hablaría con él. Rabín la acompañaría por si era necesario pedirle prestado (y recalcó la palabra "prestado"). Era remoto que don José Carlos tuviera en su poder el dinero exigido por los captores pero en la cuenta bancaria familiar, alimentada por la herencia de la madre, habría sin duda lo suficiente…

El plan me pareció pésimo porque significaba alejarme de ella y darle cancha libre a Rabín, cuya vinculación con Sofía no me había quedado clara desde mi llegada, básicamente porque no hubo modo de cruzar palabra con Paulo, que era el único a quien le habría pedido explicaciones sobre el clavadista: si era amigo suyo, de su hermana o de quién carajos, o cuál era el motivo de que se pasara el día metido allí.

Sofía no se comportaba como una novia. No tocaba al idiota ni la había visto besarlo más allá de un maquinal saludo o despedida. Mi amiga (¿mi amiga?) tampoco había dicho frente a mí algo como "este pendejo es mío". Con ese razonamiento me consolé.

Félix esperaba afuera del fraccionamiento. El lanchón de Sofía se perdió por la calle y yo, murmurando por lo bajo, subí al *jeep*. El frío era monstruoso y ni la capota ni las ventanillas eran capaces de contenerlo. El periodista me saludó con un apretón de mano excesivo; por poco me rompe los dedos.

—¿Todo bien?

—No.

—Está jodido esto —rumió.

Cruzamos el pueblo, que se afanaba en una actividad creciente y bulliciosa. La gente había decorado casas y negocios con todo tipo de motivos navideños. Luces, nieve falsa, escarcha de papel. Las tiendas de juguete americano importado y pantalón talla extra lucían cuajadas de clientes. Alguna, incluso, contaba con una larga fila de espera. Los locales que expendían burritas y carne asada no se daban abasto.

—Detestas a ese güey, ¿verdad?

Félix me observaba por el retrovisor.

—¿A quién?

—Al Rabín.

Bufé y él sonrió.

—Algo.

—Yo conozco a su jefe. Es una fichita. Todos los ricos de acá son fichitas.

Se le notaba muy animado para una hora tan temprana. Descubrí que llevaba una cerveza al alcance de la mano. Varias latas hermanas, ya vacías, rodaban por el suelo del *jeep*.

El padre de mis amigos y el de Rabín eran unos mandilones, reveló Félix. Se habían casado con hijas de familias poderosas (la expresión que usó fue "dieron braguetazo") y de eso vivían. Rabindranath, sin ir lejos, heredaría la fortuna de los Lechuga, una de las principales estirpes ganaderas del valle. Y bueno, los abogados Mendieta, los familiares maternos de Sofía y Paulo, formaban parte de la lista de notables del pueblo.

—Yo estudié en la escuela federal del valle. Todos me parecen unos pendejos.

Simpaticé con él.

El estacionamiento de la agencia municipal lucía desesperadamente vacío y muerto (valga la expresión), tal y como la primera vez que lo visitamos. La mujer en la recepción nos hizo esperar mientras el médico de guardia confirmaba la autorización para que pasáramos. No fue sino hasta que estuvimos plantados junto a una camilla, en mitad de la sala refrigerada, que me asaltó el miedo de que aquel nuevo cuerpo bajo la sábana fuera el de Paulo.

Haberme pedido que lo identificara era una irresponsabilidad, me dije. Metí las manos en los bolsillos para que no se dieran cuenta de que me temblaban.

Cerré los ojos.

El rostro feroz del Ojo de Vidrio; su amenaza de volver y buscarnos nunca hasta entonces fue tan turbadora.

Destaparon al fiambre.

Tampoco era Paulo.

Respiré.

El periodista me dejó en la esquina de las oficinas de *El Correo:* tenía que trabajar. Desde un teléfono público marqué a la casa de los Osuna pero nadie respondió. Ya llamarán a Félix y mejor que él les explique, pensé.

Tenía instrucciones para dar con la peluquería donde estaría realizándose la entrevista de Sofía con su padre, pero no fui capaz de dar con el punto de partida que recordaba: un busto dedicado a la memoria de Pancho Villa, del tamaño de un bote de basura, que, en teoría, no tendría problema en reconocer si seguía la avenida que arrancaba al pie de la plaza. Quizá porque en Casas Chicas se conmemoraba con diez bustos a otros tantos próceres de la Revolución, con sus respectivos bigotes y sombreros, no hallé el de Villa y me perdí. Volví a marcar desde otro teléfono. Esta vez respondió, con voz estremecida, don José Carlos.

—Sofía no está. Se fue con el Rabín —se limitó a comunicar.

Imposible saber si le habrían contado ya. Preferí no comprometerme.

—Me urge hablar con ella. Estoy en el centro pero voy para allá. Dígale que me espere, por favor.

El tipo colgó. Era probable que estuviera ya al tanto de la situación y no quisiera perder un minuto más conmigo. Traté de entenderlo. Un hijo secuestrado era un motivo más que válido para comportarse de manera errática y majadera.

Aun así, me ofendí. Era mi estado natural. "Nunca debí venir a Casas Chicas", me dije. "Pinche pueblo mugriento. Los vallenses están locos. Mejor me regreso."

La casa de los Osuna estaba más allá del Campestre y pedí indicaciones para llegar. Tardé media hora en orientarme y recorrer la distancia que me separaba del lugar. Con dudas de hacia dónde agarrar, me mantuve junto al enrejado del club. Pese a que el mediodía se acercaba, el aire era una navaja que rasgaba la cara. Mi chamarra apenas era capaz de resguardarme.

Entonces no le di importancia, pero ahora soy capaz de recordar que un vehículo negro, una camioneta, se detuvo a unos metros de mi posición y, tras unos segundos, me siguió a una velocidad absurdamente pausada.

Reconocí, al fin, la calle que subía al fraccionamiento. Nadie más transitaba a pie por mi ruta. Los vallenses nacían con la pata en el acelerador de un automóvil. Por eso me sorprendió que, al dar vuelta a una esquina, ya con el muro del coto a la vista y apenas separado de su portón por la breve extensión de un parque (un cuadrado de hierba, pocos árboles y ningún atributo particular), alguien se atravesara en el camino. Me rebasó por la derecha; no lo distinguí con claridad.

Sobrevino un empujón y ya estaba en el suelo. Todavía intentaba reaccionar cuando sentí el regusto de la sangre en la boca. Me habían golpeado.

Cerré los ojos y me abandoné a la oscuridad.

Lo llaman el apagón.
El blackout.
Despertar sin idea de dónde estás ni qué fue lo que pasó.
Y luego es correr, correr, correr, correr.
Y correr más.
Y buscarte.
A ti mismo.
Y buscar a los que faltan.

La luz baña la silueta que nos enfrenta. Sofía, Rabín y yo nos apretujamos. Estamos aterrados.

Es un muchacho tan pálido que cuesta creer que le corra sangre por el cuerpo. Desgreñado, además, un ojo a medio abrir y unas ropas inauditamente sucias encima.

Paulo.

Da pasos atontados, desorientados, como si hubiera despertado de un sueño de días.

Corremos a abrazarlo.

En medio del cariño grupal descubro que Rabín me está ofreciendo la mano.

Se la estrecho.

Estamos todos en esto.

—Denme una cerveza —pide mi amigo.

Nos reímos.

Nunca antes lo quise tanto.

Tercera parte

BODAS DE ORO

VII

Paulo parecía escapado del infierno, transparente y frío como un pescado. No llevaba zapatos, los pies le brillaban de mugrosos y su cabello era un desmadre. Tenía un golpe rojo marcado en la frente. Apestaba. Nunca había olido bien, vaya. Siempre dejaba esa idea de animal sudado. Pero nunca antes recordó tanto a un cadáver, carajo. Sofía le brincó al cuello como si hubiera anotado el gol del triunfo. Nos abrazamos todos. Incluso, como dije antes, le estreché la mano a Rabín, cosa impensable unas horas antes.

Ahí se acabó lo bueno.

Nos sentamos en la sala, frente al televisor, apagado por una vez, y lo interrogamos. Paulo tardaba unos segundos en responder cada duda, asombrado por su propio retorno. La voz le sonaba lenta y confundida.

Apenas recordaba. No es que fuera incapaz de darnos una pista útil sobre el secuestro, sino que tenía la mente en blanco. Tanteaba en su memoria como quien busca morusas en el bote de las galletas. A ver, quiso ordenar: respondió mis llamadas desde el aeropuerto de Guadalajara, dejó el teléfono en la mesita de noche. Se sirvió un vaso con agua. Era de madrugada.

Nada más.

—En el sótano hay marcas de sangre. A lo mejor ahí te pescaron —le dijo Sofía, que le sostenía las manos, lacias y blandas como calcetines.

—No tengo idea. No bajé para allá.

Suspiramos.

—¿Adónde te llevaron?

—No lo sé.

La expresión ausente de Paulo se fue transformando en mueca de ansiedad.

—¿Y cómo llegaste acá? —inquirió Rabín.

Apretó los ojos y peló los dientes frontales, en un esfuerzo supremo por recordar. Pero su memoria se había convertido en algo peor que una coladera: un agujero.

El *blackout*.

—No sé.

Sofía puso los ojos en blanco. Decidí intervenir.

—En algún momento despertaste. ¿Dónde?

—Sí. Hace poquito, creo. En el jardín de la entrada.

—El de la casa.

—No. Afuera, el del coto.

—¿Y no había nadie? ¿Nadie te ayudó? ¿Ni el guardia de la puerta?

Mi amigo hacía ademanes vagos y desesperados. Incapaz de responder, recorrió nuestras caras con la mirada, como si de nuestros ojos, cejas, frentes o fosas nasales fuera a brincar, de pronto, la rana del recuerdo.

—El guardia estaba encerrado en la caseta, mirando televisión. Me dio los buenos días.

Pensé en el absurdo y arrogante Robocop de la entrada, ese bueno para nada a quien le podían aventar a un secuestrado en la cara y seguía perdido en la pantalla en lugar de intervenir. ¿Para eso quería el arsenal de armas y el equipo de protección? ¿Para que no lo espantara el monstruo de la película?

Paulo estaba agotado. Procedimos a darle la cerveza que llevaba minutos enteros rogándonos y luego, sin atender las súplicas de que lo dejáramos largarse a bañar, nos arremolinamos a su alrededor para examinarlo.

—Di "ah" —ordenó su hermana.

Él obedeció y mostró una lengua blanca. La boca le olía mal. Como una olla en la que hubieran hervido riñones. Tenía, ese pestazo, un parecido sospechoso con el que Tacho, el gato de mi tía, expelía luego de haber devorado un trozo de carne. Tacho, ese monstruo. En el antebrazo de mi amigo relucían un par de piquetes que Sofía quiso identificar como marcas de jeringa.

—Te durmieron. Por eso no recuerdas. ¿Te duele?

Mi amigo se miraba el rastro de la aguja con el horror embobecido con que hubiera seguido la ruta de una araña en la pared.

—Sí. Algo.

Con un cariño que no le había visto antes, Sofía le hizo un arrumaco. Era su hermano menor, a fin de cuentas. Se sentía responsable.

—Al menos ya estás aquí.

Y lo abrazó.

Caminé al refrigerador y extraje cuatro cervezas. Una para cada quien. Bebí la mía a velocidad increíble, pero Paulo terminó primero. El miedo le había secado la garganta.

Luego de un rato de charla imprecisa, tuvimos unos minutos a solas. Rabín había sido enviado a comprar *pizza* al único lugar cercano que la cocinaba y Sofía se perdió en su recámara. Aproveché la oportunidad.

—A mí también me levantaron.

Paulo me miró con repentino sobresalto. Parpadeó sin animarse a preguntar nada.

—Te andábamos buscando. Venía del centro y me brincaron en el parque de aquí al lado. Me pegaron en la cabeza —aclaré.

Se llevó la mano al golpe en su frente, como calibrándole la gravedad a la luz del mío, y resopló.

—¿Y cómo te pelaste?

Me encogí de hombros.

—Desperté en una covacha, afuera de una casa. En cuanto pude levantarme vi que se les había quedado abierta la puerta y me fui. Me siguieron. Tuve que colarme al Campestre. Dispararon varias veces.

—¿Una casa? ¿Por el Campestre?

—Sí. Pero no sé bien dónde.

123

Paulo liquidaba la segunda cerveza de la noche. Los acontecimientos lo habían excedido: sacudía la cabeza y cerraba los ojos.

—Madres.

Esperaba, en el fondo, una disculpa suya (era su pueblo, a fin de cuentas, y estaba allí por su invitación), pero mi amigo parecía demasiado ensimismado en sus propios dolores como para ocuparse de ese tipo de detalles.

—Qué raro todo —dijo al fin, vencido.

Era la clase de comentario que significa que uno ya no quiere pensar.

Nos bebimos una tercera cerveza antes de que decidiera cambiar de tema y cuestionarlo sobre otro asunto.

—Oye, ¿el Rabín es algo de tu hermana?

Paulo había encendido el televisor, aunque lo probable es que no tuviera interés en el juego de beisbol cubano que estaba sintonizado. Se puso en guardia y me observó con sospecha. ¿Se había salvado del horror para venir a contestarme idioteces? Me temo que eso le pasó por la cabeza.

—No sé. Creo que sí. Han sido novios desde hace un friego. Rompen y vuelven. Sofía puede ser muy cabrona.

Tuve que toser.

—¿Por eso el pendejazo está aquí todo el rato?

Paulo seguía sobándose el antebrazo, justo en el área donde tenía marcados los piquetes.

—Supongo. Pero suéltalo. Es *compa* mío. Fuimos compañeros de escuela. Su papá es amigo del nuestro, nos conocemos desde niños. Así es todo acá.

Era fácil imaginarlos: Paulo, Sofía y Rabín diminutos, empeñados en juegos y paseos por los praditos del Club Campestre, o reunidos en piñatas, cumpleaños o clases de natación…

Me dieron náuseas.

Don José Carlos apareció media hora después, justo cuando comenzábamos a exterminar la *pizza* que Rabín había traído, una mala imitación con el queso equivocado y una salsa demasiado dulce. Resultaba evidente que la masa había salido de una congelación milenaria antes de ingresar al horno.

El patriarca de los Osuna entró a su residencia con los pasos de un hombre vencido. Encorvado, cargado de hombros, se frotaba las manos en los costados del suéter y parpadeaba, deslumbrado por las luces navideñas. Se quedó de pie, con la boca abierta, cuando descubrió a Paulo a tres metros, las manos llenas de tomate y queso y una botella de cerveza al alcance.

—Mijo…

Eso dijo con voz cavernosa.

Paulo se puso en pie y su padre lo abrazó. Lo apretó contra su pecho y, alternativamente, lo apartaba y le tomaba la cabeza entre las manos, como para constatar que aquella era la cara de su *mushasho*. Sofía desviaba la mirada para no llorar. Rabín, que era un sensiblero, se secaba los ojos. Tuvo que sonarse ruidosamente.

En aquel momento asomó Chuy, el ayudante. Menos conmovido que su patrón, se limitó a mirar la escena y, veloz como zorro, alcanzó la cocina para hacerse de su propia cerveza. Luego se deslizó al comedor y se apropió de un par de cachos de *pizza* que procedió a devorar.

—Acá está mijo, *pinshe Shuy* —indicó don José Carlos, que ya hipaba.

El subalterno asintió con la cabeza. Señaló con el dedo hacia donde Paulo era abrazado con cien tentáculos por su padre y me miró fijamente.

—Acá está.

Rabín persistía en limpiarse la cara mojada. Sofía le puso una cerveza en la mano a su padre, que parecía a punto del colapso. Los labios le tiritaban.

—¿Pos dónde estabas metido, mijo…?

Ahí lo perdimos. Se dobló en llanto y abrazó con fuerza de gorila a su descendiente.

Supe que mi presencia sobraba.

Preferí alejarme. Mis dolores se mezclaban con un cansancio mortal. Caminé al cuartito de la biblioteca. Me puse el pijama y me eché al camastro. No estaba de humor para escuchar los horrores de nadie más.

La noche se pobló con mis propias pesadillas.

Desperté aliviado, ya cerca de media mañana. El cuartito anexo a la falsa biblioteca de los Osuna estaba lleno de sol. La cama hervía. El frío, al menos de momento, se había esfumado. El bienestar era tal que me resistí a moverme. Cuando lo hice, me entretuve en frotar los pies con la sábana y en dejarme cocer la piel bajo las cobijas caldeadas. El dolor en la cara, la espalda y los brazos era ahora un entumecimiento, más parecido al cansancio del niño que se pasó el día corriendo en la montaña que al desfallecimiento general de la jornada anterior.

El agua, que por la noche era un hielo, ahora se paladeaba como un líquido de frescura admirable. Bebí un vaso entero. Cuando al fin me puse en pie, gocé el tacto plácido de la alfombra. Podía oír el canto de los pájaros a través de la ventana.

Una mañana ideal.

Entonces se abrió la puerta y apareció la cara de buey almizclero de Rabindranath.

El día se vino abajo.

—Ya levántate, güey —dijo el clavadista—. Y apúrate, que tengo que llevarte a rentar un traje.

Protesté débilmente. Había llevado mi propia ropa de gala desde Guadalajara, un conjunto formado por un pantalón de tela acartonada, parecida a la gabardina, y un saco heredado de mi padre, con un corte demasiado ancho para mis hombros pero que me parecía pasadero. Nadie pudo verlo, pensé, porque mis cosas permanecían en la oscuridad del armario del cuartito.

Me engañaba. Sofía, que no perdía detalle, había descubierto aquel saco en algún momento y decidió que vestido con él no iba a pararme en la fiesta de sus abuelos. Un amigo del padre de Rabín tenía la única tienda que rentaba ropa formal en Casas Chicas y al clavadista le fue encomendada la misión de conducirme a ella.

Me bañé más apresuradamente de lo que hubiera querido (el agua, humeante y deliciosa, intentaba retenerme) y me vestí a la carrera. Rabín, tan quitado de la pena, se había sentado a los pies de la cama y miraba las caricaturas en el televisor. Me irritó verlo allí. Me irritaba su existencia.

Paulo estaba desayunándose un tazón de avena. Sentí una punzada de hambre arañándome el estómago pero Rabín fue inflexible: teníamos que irnos o el traje no estaría a tiempo. La fiesta comenzaría en unas horas y apenas alcanzaríamos a elegir la ropa y a que se le hicieran los ajustes necesarios. De lo contrario, tendría que aparecer por allí vestido como velador. Usó esa palabra, sí, que era a la vez imprecisa, estúpida y un insulto. Por aquella época a nadie le importaba decir esas cosas.

Mis preocupaciones eran otras. Aunque había conseguido huir de la casa aquella y sobrevivir a la corretiza de mis captores, y aunque Paulo estaba a salvo, el misterio permanecía abierto y nuestras posibilidades para echarle luz parecían escasas.

También me asaltaban ansiedades menos metafísicas. No había tenido oportunidad de guardar el dinero de mi tío antes de perder la cartera y no tenía idea de cómo solventar la renta del traje. Rabín sonrió y declaró que encantado de la vida dejaría el depósito y ya veríamos cómo pagar. Disfrutaba de mi humillación, sin duda. Lo odié. Y odié también a Sofía, a quien no le vimos ni la nariz antes de irnos, por despreciar de tal modo mi ropa.

El auto del clavadista era pequeño y flamante. Olía a aromatizante de fresas. Lo manejaba con un mimo que hacía obvio que tenía alguna clase especial de trato con sus padres para no destrozarlo. En la plancha rapada del parque aledaño jugaban unos pocos niños intrépidos. El pueblo entero parecía adormilado por la aparición inesperada del sol y en vez de las habituales calles repletas encontramos el camino despejado.

La tienda se encontraba un par de locales más allá de la tienda de paletas instalada junto a la redacción de *El Correo*. Como si hubiera aguardado nuestra llegada para manifestarse, Félix Franco asomó por la banqueta. Llevaba en la mano una cerveza envuelta en bolsa de papel: una discreta costumbre gringa muy extendida entre los vallenses. Se echó al gañote un trago antes de saludarnos. Me quedó claro que no tenía ninguna clase de problema con el alcohol: el problema era para el alcohol. Sofía le había marcado para informarle de las buenas nuevas, dijo.

El asunto ya estaba totalmente bajo control, intervino Rabín. A primera hora de la mañana, incluso, don José Carlos había acudido a la policía para retirar la denuncia.

Félix bufó, iracundo.

—No puede haber levantado una denuncia porque no pasaron las setenta y dos horas de ley. En todo caso, como es el marido de la doña Mendieta, le estarían investigando por fuera. Pinches policías. Si fuera otro, uno cualquiera, se jode y se espera las setenta y dos horas.

Rabín se incomodó: él también formaba parte de la pequeña aristocracia local.

—Ya vámonos —susurró, mientras me daba un tirón—. Tenemos que probarle un traje —le explicó al periodista.

—¿Para las bodas de oro?

—Sí. Se va a poner bueno. Van a llevar un tenor.

Rabín tenía prisa y se metió a la tienda sin despedirse. Félix le pegó otro trago a la cerveza y se limpió las comisuras con el envés de la manga. Su aspecto era el que tendría un vagabundo extraterrestre: pantalones parchados con cinta plata (insisto en que era un recurso común en la época) y una playera verde con una frase estampada en inglés, que, a juzgar por el aspecto comanche del portador, no resultaba verosímil: "*Kiss me, I'm Irish*".

Le extendí la mano, que estrechó con fuerza de oso.

—Está muy pinche raro lo que pasó con ustedes. Muy raro. Nunca supe de algo así.

Asentí. Aún no me recuperaba de los horrores del día anterior y hubiera preferido estar de vuelta en Guadalajara, en casa de mi tía o en la Biblioteca Cultural del Sur, incluso si alguien hubiera tomado de la estantería el tomo cinco de la saga del *Mundo plano* y tuviera que esperar un mes a que lo devolviera. Todo, lo que fuera, antes que estar en Casas Chicas como actor secundario de un drama que no entendía.

—Todavía me duele la cabeza —comenté. Y sacudí el cuello. Me punzaba, en verdad. Podía sentir cómo mi quijada tronaba cada vez que abría la boca. El optimismo que me había inundado al despertar había cedido el paso a la inquietud.

Félix le dio otro trago a su cerveza empapelada. Era claro que compartía mi incomodidad ante el aparente desenlace de los acontecimientos.

—Está todo muy revuelto. O estos güeyes son tan torcidos que no les entiendo ni madres o de plano están muy pendejos.

En los años que llevaba en *El Correo*, dijo, nunca había llegado a su escritorio un caso como el nuestro.

—Lo más parecido que supe fue lo que le pasó a una pareja que vino de luna de miel.

De eso hacía unos años. Los recién casados desaparecieron del Hotel Dunas a la tercera mañana, relató. La policía encontró el vestido de la novia y unos zapatos abandonados. Los buscaron por el desierto y por la cordillera cercana, ayudados por perros y hasta helicópteros. Y nada. Luego resultó que estaban vivos y lo que querían era irse sin pagar. Los encontraron lejísimos, allá por Ensenada.

Rabín asomó de la tienda para apurarme. Félix suspiró y me tendió la mano.

—En fin, síguele en lo tuyo. ¿Nos vemos en la fiesta?

Me quedé helado por un segundo antes de asentir. El periodista notó el titubeo, porque remachó el punto.

—Sí: las bodas de oro. Tu amiga me invitó. A ver si sale algo por ahí.

No tenía idea de a qué podía referirse. Mi cabeza no funcionaba con la frialdad que hubiera querido. Entré a la tienda de ropa dándole vueltas a la terrible posibilidad de que a Sofía también le gustara Félix Franco.

Creaciones Paredes tenía por sede un local que por años perteneció a una pollería. Aunque había sido saneado y repintado con un parco tono lila, era imposible no ver, en el muro del fondo, la silueta de un plumífero sonriente y ligeramente contrahecho. Nadie le daba mayor importancia. Rabín torció la cabeza para mirarla cuando se lo hice notar y, luego de unos segundos de contemplación, se limitó a declarar el viejo giro del comercio. ¿Por qué no rasparon al pollo de la pared y sólo le encimaron un par de manos de pintura, permitiendo que asomara su pico risueño y fantasmal? Misterio. Casas Chicas era un pueblo de enigmas.

El sentido de la elegancia entre los vallenses, he dicho ya, no tenía que ver con los cánones del resto del mundo. El descubrimiento de un esmoquin de color azul pastel en el maniquí más visible de la tienda me aterró. El mostrador de corbatas exhibía, por su lado, una gama de prendas resplandecientes que iban del rosa mexicano al verde *acqua*.

Conseguí un traje negro, una camisa blanca y una corbata gris sin adornos luego de rechazar una catarata de camisas con volantes dignos del líder de un conjunto tropical, tres o cuatro sacos con hombreras, algunas fajas como para ceñir la silla de montar de un poni y hasta un sombrero elaborado con paño marrón.

Rabín no aprobó la sobriedad de mi atuendo.

—Pareces uno de esos protestantes —dijo.

—Mejor protestante que tucán.

No entendió. Luego de algunas frases aclaratorias resultó que confundía los tucanes con los cocodrilos.

Qué pinche gustito, el de Sofía, para los novios.

Doña María Inés Mendieta era mujer alta y curvilínea, con una poderosa mandíbula de superhéroe y unos pelos de color naranja cuidadosamente peinados en caireles. Supe que había llegado al hogar al encontrarme una camioneta del tamaño de una nave espacial estacionada con descuido en la puerta cuando Rabín me dejó ante ella. Un vozarrón de coronela ratificó su presencia.

El cambio en la atmósfera casera resultaba evidente. El árbol de Navidad relucía y la eterna televisión estaba apagada. Formados ante la puerta de la cocina, los Osuna eran objeto de la revisión de la matriarca. Don José Carlos, vestido de gala, se había rasurado la cara e impregnado con una colonia tan picante que recordaba el cloro de las albercas. Hasta los bigotes se le veían ordenados.

—Ah, te peluqueaste. Muy bien —dijo doña María Inés y su marido asintió con énfasis, como niño en salón de clases.

Sofía, con joyas en las orejas y el cuello, y peinada con un chongo que semejaba un pan dulce, llevaba un vestido demasiado largo (para mi gusto) y un recatado suetercito. Era claro que había elegido cada detalle del atuendo para complacer a su madre. Lo consiguió.

El reprobado fue Paulo. Aunque se había llenado el cabello de gel y elegido un traje de color azul con botonadura de oro, como si estuviera listo para su primera comunión, el golpe en mitad de la frente era obvio y discordante. Doña María le hizo caer un mechón de cabello para que se lo disimulara. Estaba furiosa. Tomó la barbilla de mi amigo en su manaza y le examinó el rostro.

—Uno no se cae así nada más. ¿Bebiste? ¿No te habrás ido de cuernos por eso?

Paulo puso los ojos en blanco. Don José Carlos se mordía los labios. Era obvio que habían recurrido a la primera excusa de la lista y la más sencilla: una caída. Y doña María Inés era persistente como un taladro. Pero entonces Sofía carraspeó y su madre notó, al fin, mi llegada. Me asestó una mirada de tiburón.

—¿Tú eres el de Guadalajara?

Tuve que reconocerlo.

Se me enfrentó. Repasé mentalmente mi apariencia: me había bañado (incluidos los codos y el espacio detrás de las orejas) y peinado, tenía las uñas recortadas, me había cepillado los dientes… Sin embargo, mi cara estaría hinchada también. Temblé un poco. Por suerte, la mujer no estaba interesada en mí. Quizá porque no me conocía, nada le brincó.

—Es bonito allá. Por eso mandamos a los *mushashos* a estudiar con ustedes. Bueno, ya vístete, que debíamos estar yéndonos. Quiero llegar temprano.

La fiesta no comenzaría en menos de tres horas pero la matriarca debía asegurarse de que las flores estuvieran colocadas en el templo como era debido. Luego iba a cruzar la calle y a examinar milimétricamente el salón de fiestas donde tendría lugar el banquete.

—El tenor llegó en el vuelo de la mañana. Y lo va a acompañar un trío. Tengo que recibirlos a todos. Te me apuras, por favor.

Cruzamos, los demás, una de esas miradas que significan "me vale madre, pero tengo demasiado miedo para hacerlo notar" y nos pusimos en marcha.

Volví a bañarme. Me vestí a toda velocidad pero tuve que desvestirme de nuevo cuando descubrí que mis zapatos no estaban bien lustrados: no podía darme el lujo de que una gota de cera líquida me aterrizara en la ropa. Los limpié hasta el delirio. La cabeza me latía.

El problema principal brotó en ese instante. Apenas la coloqué sobre la camisa, me di cuenta de que no sabía hacer el nudo de la corbata: no lo había sabido nunca. Era un conocimiento ancestral que se transmitía de padre a hijo, pero a mi padre lo habían asesinado antes de que me impartiera aquella lección. La corbata que había traído de Guadalajara tenía un nudo prefabricado y se colgaba a la camisa con un ganchito, pero en Creaciones Paredes me advirtieron que ese tipo de prendas eran objeto de repudio general. No podía afrontar a Sofía y mucho menos a su madre usándola.

Saqué de la maleta la vieja cartita amorosa. La había llevado conmigo a Casas Chicas como un boleto de lotería, a ver si se presentaba la oportunidad. Metí el sobre en el bolsillo interior del saco y salí de la biblioteca: la corbata desanudada al cuello, tembloroso el cuerpo, un becerro entre lobos. Podía imaginar la mueca de desdén de doña María Inés, sus garras saltando a mi cuello con la fuerza de un rodillo de imprenta. Me estremecí.

Pero no. Antes de llegar a la sala tropecé con Sofía, que venía de su recámara. Se había retocado el cabello. Me miró con una mínima sonrisa. Ni siquiera tuve que pedirlo: con suavidad, tomó los extremos de la corbata y la anudó hábilmente. Se aseguró de que quedara ajustada, sin apretar demasiado pero sin soltarse. Y luego me besó.

Su boca sabía, como siempre, a felicidad pura, a fruta y a sol (eso anoté en mi libreta y tengo, incluso ahora, la absoluta certeza de lo que quería decir).

Cuando abrí los ojos, descubrí que Paulo nos miraba en el espejo que inquietaba el fondo del pasillo.

Su expresión no era de alegría.

VIII

Sofía y don José Carlos subieron al tanque de asalto conducido por la madre y se adelantaron. Nos hicimos pendejos un momento, tomamos dos cervezas del refrigerador y los seguimos a la distancia. Paulo tenía un mensaje muy claro que dar.

—Rabín está medio güey. No le hagas esto.

No era ruego sino acusación. La boca me sabía a Sofía, lo cual, sumado a que mi amigo nos había descubierto apenas quince minutos antes, me impedía mentir y deslindarme. El buche de cerveza me recordó que no había desayunado ni comido y se acercaba la tarde; bajó a mi estómago como piedra ardiente. El sol pisoteaba el pueblo.

—No sabía que andaban. No es mi culpa.

—Te dije anoche.

Paulo condujo con traqueteante indecisión. Se pasó dos lugares de estacionamiento evidentes y luego se empeñó en meterse en un espacio insuficiente, cerca de la esquina del templo.

—Rabín es mi cuate desde el kínder. Es como mi hermano. No te pases de cabrón.

Maniobró cerca de diez minutos, alejándose y acercándose a la banqueta una y otra vez, obsesionado, hasta que consiguió lamer las defensas de los vehículos que nos rodeaban, entrar y darse por satisfecho. Bajamos. Quise acelerar el paso pero Paulo me dio alcance y me jaló el brazo con violencia.

—Me lo tienes que prometer.

—¿Qué?

—Que no vas a pasarte de cabrón.

La presión de su mano era tal que me obligó a detenerme. Nos enzarzamos en una discusión. Aún recuerdo dos o tres frases relacionadas con la incógnita vida sexual de mi madre, que respondí sin asomo de piedad (elegí referirme a las dudosas capacidades viriles de su padre, al que adoraba, y creo que funcionó, porque se le salían los ojos de la rabia).

Llegamos al atrio del templo sin haber alcanzado ninguna clase de acuerdo. Me negaba a prometer cualquier cosa que me obligara a permanecer lejos de Sofía, mientras que mi amigo se empeñaba en no aceptar nada menos que la rendición incondicional.

La realidad, al final, me golpeó. Estaba en casa ajena (la suya), a sus expensas por la pérdida de mi dinero (los dólares de mi tío se encontraban en la cartera de la que fui despojado) y sometido al arbitrio de lo que los Osuna tuvieran a bien disponer. Ceder era lo único razonable. Es decir, mentirle. Porque no tenía intención de respetar cualquier clase de primacía del imbécil de José Rabindranath con respecto a su hermana.

—Está bien. Va.

Paulo me tendió la mano: quería sellar el pacto con un estrujón de caballeros. Acepté. Me machacó los dedos. Seguía furioso.

La iglesia de Nuestro Señor del Veneno se caracterizaba por ser la más flamante del pueblo (por lo que, en vez de verse como un templo tradicional, parecía la colorida recepción de una clínica odontológica), por su Cristo negro comprado en una tienda de la capital del país y por estar decorado con unos murales horrorosos, que representaban a los notables del pueblo ataviados con ropajes bíblicos y mostrando gestos de piedad.

Sofía y su padre nos esperaban debajo de una imagen que era, indudablemente, un retrato favorecedor de doña María Inés. En su versión de tres metros de altura, la mujer tenía apariencia de santa medieval y un busto frondoso, respingado y muy superior al real. La modelo andaba dando vueltas por los rincones en compañía de un sacristán chaparro y nervioso. Reacomodaban las posiciones de los arreglos florales y los cirios, decidían el mejor emplazamiento del fotógrafo y daban instrucciones a los niños del coro. Sin esperar a que nos pusiéramos en pie, doña María Inés se dio por satisfecha y escapó a la velocidad de una moto, taconeando y contoneándose como emperatriz.

La seguimos a paso redoblado pero alcanzarla era imposible. El taconeo se perdió en la distancia y apenas alcanzamos a ver su espalda desaparecer, al otro lado de la calle, en la puerta del salón de fiestas. Quién podría resistirse al empuje de una santa.

El salón llevaba el apropiado nombre de La Fregadera. Era un galerón rectangular, con la profundidad de un cine y los ventanales inmensos de un hotel. Cincuenta mesas redondas ocupaban tres cuartas partes de la superficie. No mesas corrientes, sino obras de arte decorativo: las diez sillas de cada una habían sido recubiertas por unos faldones que las hacían parecer quinceañeras listas para el *vals*. Con la misma tela vaporosa y temible estaban elaborados los manteles. Un abarrotamiento oriental de copas, vasos, servilletas de algodón, cubertería de alpaca y fuentes de acero titilaba sobre ellos con la luminiscencia de una noche estrellada.

Una pista de baile negra y pisoteada (que un tipo trapeaba con desesperación, producto de los gritos de doña María Inés) tropezaba la vista. Pero aún más inevitable era la imagen que reinaba con descaro en el muro del fondo. Se trataba de una gigantesca fotografía en color sepia de los abuelos cuando aún eran jóvenes, es decir, cincuenta años antes. Mediría cinco metros de alto por veinte de ancho. El abuelo era un tipo grandote, con bigotito de cantante de bolero y el cabello engominado (al estilo de aquella época). La abuela era el vivo retrato de la sumisión: ojos caídos, manos entrelazadas, mohín de mansedumbre.

El viejo había sido el fundador del despacho de los Mendieta. Por ello, sus hijos, encabezados por doña María Inés, decidieron colocar una frase suya, entrecomillada, para coronar el montaje: "Si pudiera cambiar algo sería el mundo, porque es injusto".

Era difícil imaginar diciendo eso al anciano de traje blanco que apareció en aquel momento, escoltado por un cortejo de parientes barberos y esgrimiendo un bastoncito de punta dorada. El abuelo Mendieta, a pesar de la sonrisita que nos obsequió mientras lo paseaban, tenía cara de miserable.

La misa transcurrió sin incidentes y sólo tuvo el defecto de resultar demasiado larga. El sacerdote se empeñó en dedicar el sermón a un recuento de los méritos de los festejados. Enlistó las alcaldías, diputaciones, cargos públicos y obras de caridad del abuelo y la delicia incomparable de la carne *mashacada* y las tortillas de harina de la abuela como ejemplos inmejorables de su humanidad. Terminó por citar la frase estampada en la fotografía del salón y la multitud de parientes, amigos, empleados y acompañantes se deshizo en aplausos.

—Faltó decir que Mendieta sacó de la cárcel a todos los pillos del valle durante medio siglo y que la señora es agiotista —susurró Félix Franco, que apareció quince minutos tarde y cuyo saco de color caqui y camisa de cuadritos habían provocado el desdén de todos aquellos que nos rodeaban.

Cuando las últimas oraciones y los avisos parroquiales terminaron, la familia se reunió ante el altar para depositar un arreglo floral del tamaño de un perro adulto y para tomarse las fotos del recuerdo con los viejos. La abuela, pequeña, flaquita y medio perdida en un vestido lleno de capas, ideal para una novia de mil novecientos, parpadeaba con aire confundido.

Mientras los *flashes* brillaban, los invitados comenzamos a desplazarnos a la salida. Rabín nos rebasó a la carrera, seguramente enviado por su suegra a resolver algún entuerto de última hora con los meseros, pensé.

—Lo traen en chinga —apuntó Félix.

La intuición era correcta. Cuando llegamos a La Fregadera, el clavadista discutía, vehemente, con el capitán de servicio.

—No me dijeron nada de coñac, joven. No tenemos.

—Se nos va a armar —reponía él.

Resultó, al final, que sí había coñac pero estaba en la camioneta de Chuy, el ayudante de don José Carlos, quien se encontraba sentadito en una mesa del fondo, empujándose un trago de una bebida acuosa que resultó ser aguardiente. Según la versión del mesero, el sujeto no tenía la menor intención de entregar las cajas. Rabín corrió a rogárselo mientras Félix y yo nos dedicábamos a contemplar el mural conmemorativo.

—"Si pudiera cambiar algo…" —leyó el periodista—. Este viejo pendejo nunca dijo eso. No debe haberlo pensado ni a los quince años.

Chuy debía haberse pasado la misa entera entregado al consumo de aguardiente porque la voz se le arrastraba. Explicaba a Rabín que sí, se le había encargado traer el coñac del abuelo Mendieta y había pasado la mañana en la carretera, porque el expendio más cercano estaba a dos horas. Por eso no pensaba bajar las cajas con las botellas en aquel momento.

—Que vayan los meseros —repetía con voz ebria.

Pero Rabín tenía una misión y no iba a presentarse ante su suegra y reconocer el fracaso (porque le tirarían los dientes si lo intentaba). Le pidió las llaves y, cuando Chuy las cedió, acudió ante nosotros.

—Háganme el paro de traer las cajas, que el viejito va a llegar enseguida y quiere un coñac.

Félix gruñó y yo exhalé ruidosamente pero no fuimos capaces de negarnos y terminamos por seguirlo, abriéndonos paso entre los invitados que, abundantes como buitres, se desplazaban entre las mesas en busca de los mejores lugares.

La camioneta de Chuy estaba a la vuelta, en una calle empedrada a la que no asomaba puerta alguna (al otro lado se levantaba el muro de un supermercado y quince contenedores de basura alineados como un pequeño ejército). Era un vehículo viejo, empolvado, de vacilante negrura. Rabín abrió la cajuela y arrancó disparado con la primera de las cajas, para garantizar que el festejado tuviera un trago disponible apenas se apoltronara en la mesa.

—Estos cabrones siempre acaban agarrándolo a uno de chalán —se quejó Félix.

Tomó una caja en las manos y la bajó al piso de inmediato.

—Pinche sol.

Se enjugó la frente con un pañuelito.

Nunca fui un tipo forzudo; me preocupaba el peso que debía acarrear. Levanté una caja unos centímetros. Pesaba lo suyo, sí, pero no era un reto imposible. Seguimos descargando y me pregunté cómo lograron meter la carga, porque había un reguero de todo tipo de basura en la camioneta. Entonces, medio tapado por unos periódicos al fondo de la cajuela, descubrí un objeto familiar.

Lo era: mi chamarra.

La que perdí cuando me golpearon y secuestraron. Me asaltó un escalofrío. La arrebaté del fondo de la cajuela y, precipitadamente, la revisé. Era la mía, sin duda. En el bolsillo interior, descubrí con euforia, estaba aún la cartera. La abrí de inmediato. Seguía llena de dólares (lo cual era buenísimo, desde luego, aunque el tipo de cambio en aquellos días no resultaba tan favorecedor como el de hoy). Estuve a punto de besarla.

—Mis cosas —murmuré, perplejo—. Aquí están. ¿Dónde chingados pudieron encontrarlas?

Pero Félix había encontrado objetos aún más comprometedores. Sostenía una jeringa en la mano.

—*Pinshe Shuy.* No las encontró. Ese pendejo fue.

Entramos a La Fregadera con la decisión de un par de pistoleros que estuvieran a punto de hacer justicia. Pero no iba a resultar sencillo: el salón se había llenado hasta la bandera. Cada mesa, cada silla ataviada como quinceañera estaban infestadas ya de invitados. Decenas de camareros se apresuraban a servir tragos y acarrear platitos con canapés. Los Mendieta habían ocupado las mesas de honor (Rabín, descubrí con ira, ocupaba el lugar junto a Sofía) y departían entre risotadas: una apretada tribu de abuelos, nietos, tíos, sobrinos, madres, hijos, yernos y cuñadas vestidos con todos los colores del muestrario de Creaciones Paredes.

Don José Carlos, unos metros más allá, daba la bienvenida a una caterva de gordos, embutidos en trajes brillantes como luciérnagas, que debían de ser sus parientes. Al menos una veintena de Osunas, ubicados en el par de mesas adyacentes, se daban unos a otros palmadas tremendas en las espaldas como para ayudarse a escupir los pulmones.

El escenario que coronaba la pista de baile había sido ocupado por unos tipos vestidos con trajes coordinados de color lila.

—Llegó el trío —razonó Félix.

Los conté. Eran cuatro.

—Acá los tríos son así. Siempre tienen dos guitarreros por si uno falla —aclaró el periodista.

Pronto fueron cinco, porque se les unió un sujeto sonriente, relamido y con pecho de bovino, que debía ser el tenor llegado de la capital.

Pero el tema central era otro. ¿Cómo íbamos a hacer para arrastrar a Chuy a la calle y confrontarlo, si estaba sentado a dos metros de la pista, rodeado por el resto de los empleados de confianza, con una botella de aguardiente y suficiente cecina para aguantar una semana allí?

Antes de que tomáramos una decisión, el tenor se aclaró la garganta, apartó los micrófonos (su orgullo profesional lo obligaba a prescindir de ayudas electrónicas) y el trío de cuatro comenzó una animada versión de la cantata italiana *Por ti volaré* (inconfundible por repetir sesenta veces la frase que le daba título durante su interpretación).

Sólo una persona era capaz de conseguir que Chuy compareciera. Félix y yo nos dirigimos a la mesa de honor.

—Tengo que regresar en cinco minutos: cinco —nos dijo Sofía entre dientes mientras la conducíamos afuera. Estaba furiosa. Ni siquiera esperó a salir para comenzar a darnos de zapes. Coreados por decenas de gargantas, los ecos de *Por ti volaré* resonaban como un himno.

—Mi mamá quería que estuviéramos ahí porque es la canción favorita de mi abuela —repetía.

Y un desafío a doña María Inés no podía terminar bien.

Félix sacó la jeringa del saco. Hice lo propio con mi cartera (la chamarra la había dejado en una mesa, al pasar, porque no era tan impresionante). Sofía tardó unos segundos en comprender lo que estábamos tratando de explicarle. Cuando al fin sucedió, se le ensombreció la mirada.

—¿Dónde estaban?

—En la camioneta de *Shuy*.

Unos ojos destellantes como colmillos.
Eso fue lo que vimos.

Paulo y Rabín se miraban entre sí y de nuevo a nosotros, con la persistencia de unas moscas que no supieran dar con el camino de salida.

—¿*Shuy?* ¿Neta, *Shuy?*

Paulo estaba asombrado. Conocía al sujeto de toda la vida. Había sido ayudante de su padre desde el inicio de los tiempos. Lo iba a buscar a la escuela, lo llevaba a la clase de karate si su madre no podía hacerlo y luego lo depositaba ante la puerta de casa. Durante años le había regalado dulces en cada uno de esos viajes. Paulo conocía, incluso, a sus hijos (los recordaba, en sus propias fiestas de cumpleaños, comiendo pastel; muy serios, sin moverse de la mesa asignada mientras otros niños jugaban a las escondidas o rompían la piñata). No: no podía ser.

—Hay que sacarle la verdad —exigió el periodista.

Levantaba las cejas, como retando a Paulo o al silencioso Rabín a apurar las posibles discusiones. No hubo ninguna. Las pruebas eran categóricas.

Sofía, entretanto, venía de vuelta del salón con el inculpado del brazo. Esperó a que, al terminar la interpretación de *Por ti volaré* y la subsecuente ovación de los presentes, don José Carlos se perdiera por el pasillo que llevaba a los baños. Entonces atrajo a Chuy con el pretexto de que su padre había salido y quería hablar con él.

Los esperábamos, con las manos empuñadas, en el prado que servía como atrio de La Fregadera. Chuy, visiblemente ebrio, vacilaba a cada paso. Pero trataba de enfocar la mirada, se le notaba decidido. Se sorprendió al no descubrir el perfil de morsa de su patrón entre nosotros.

—¿Se metió el jefe? —preguntó con sincera curiosidad.

Le caímos a golpes mientras Sofía cerraba la puerta del salón y se ponía delante para evitar que algún inoportuno apareciera. Rabín, que decidió mantenerse al margen del ataque, se le unió. El clavadista había perdido todo el aplomo. Parecía a punto del desmayo.

Chuy no opuso mayor resistencia. Eso sí: tragó puñetazos y patadas como un bravo, cubriéndonos de insultos, pero no confesó nada. Por eso lo agarramos por los pelos (conservaba unos pocos en la nuca) y lo arrastramos a la calle, junto a su camioneta empolvada. Allí, a salvo de miradas indiscretas, le dimos otra buena ración de cuero.

Aquí aprovecho para aclarar que ni Paulo ni yo éramos buenos peleadores. Ni siquiera regulares. Supongo que le hice algún daño a Chuy con mis patadas en las espinillas y que Paulo consiguió cimbrarlo con el par de bofetones que le acomodó, pero la parte central de la paliza la administró Félix. Fue él quien le dobló las manos desde el principio. Fueron sus golpes, secos y bien apuntados, los que eliminaron cualquier oposición.

Pero Chuy debía ser una figura entrañable para Paulo, porque, a pesar de la rabia, atestiguó su caída con rostro desencajado. Los que fueron gigantes en nuestra infancia se reducen un día a simples viejitos, y aceptarlo es todo un reto. Detuvo la mano de Félix, que se había levantado para administrar un golpe más, y pidió piedad. No era necesario: a Chuy le sangraba la nariz y se le desmoronaban los párpados.

—Ya, pues. Ya. Déjenme hablar —sentenció con el cantadito peculiar de los borrachos.

Félix sonreía. Los métodos de los reporteros de Casas Chicas para conseguir información eran diferentes a los del resto del mundo.

La historia iniciaba de madrugada. Una esponja con cloroformo hizo transitar a Paulo del sueño natural a uno químico. El aviso de su secuestro debía darse a primera hora. Por eso la cartera lanzada a esa zanja en la que tantos cuerpos habían aparecido a lo largo de los años: para ver si la encontraban primero y se creaba la atmósfera de pánico ideal (no sucedió, pero la idea no era nada descabellada). Por eso el cuerpo arrastrado al sótano, para ser empacado y sacado del fraccionamiento sin que el Robocop de la guardia llegara a verlo. No era sencillo maniobrar a un tipo tan sólido como Paulo: se cayó durante el trance de ser embalado y se golpeó la frente contra el suelo. La sangre derramada fue el rastro que Sofía encontró.

La primera llamada se hizo desde el teléfono de una casa de la familia Osuna, a unas cuadras del Club Campestre. La propiedad llevaba años abandonada, porque los hermanos de don José Carlos no se habían puesto de acuerdo en cómo repartir las ganancias. El despacho del padre de mis amigos debía haberla restaurado, pero nunca hubo dinero para las obras principales: la sustitución de herrería y mosaico.

Ésa fue la misma casa a la que yo fui llevado, confesó Chuy después de recibir otra tanda de puñetazos entre hígado y esófago. Un gargajo rojo le escurrió de los labios. Pensaba que la desaparición de un fuereño sin parentesco con los Mendieta alejaría las sospechas hacia otros horizontes. Por eso fue por mí. Pero había demasiados nudos por amarrar: ya era suficientemente malo tener a Paulo en la única recámara sin ventanas, inconsciente a fuerza de inyecciones, y hospedarme allí complicó todo. Mientras decidía, me arrastró al cuartito del jardín. ¿Cómo controlarme? Había comprado todos los calmantes inyectables de la farmacia local y necesitaba los que sobraban para mantener cuajado a Paulo. Se atrevió a visitar la botica del pueblo vecino de San Jacinto, a unos veinte kilómetros, pero el dependiente insistió en pedirle la receta del medicamento y no aceptó sobornos.

Chuy regresó a la guarida para descubrir que me había dejado desatado e instalado en el cuartito, sí, pero no me había administrado nada que me mantuviera inconsciente. Tampoco había cerrado la puerta. Por eso escapé.

Al descubrir mi huida supo que el plan estaba por derrumbarse. Se lanzó en mi persecución pero su suerte no mejoró y, aunque me disparó incluso, logré colarme al Campestre y perderme por sus jardines. Para cuando Chuy pudo entrar ya había desaparecido. Recobré, al escucharlo, la imagen de su camioneta, los tiros, el terror. Tuve que patearlo de nuevo. Emitió un quejido ya muy débil. Quizás habían sido demasiados golpes.

La segunda llamada fue un error. Dominado por los nervios y con un lápiz entre los dientes para disimular la voz, Chuy pidió menos dinero del necesario: cien mil pesos. Ahí terminó por joderlo todo. Aunque le pagaran, no bastaría. Y el plazo de oportunidad se iba a cerrar. Alguien le avisaría a doña María Inés en algún momento. Los Mendieta eran demasiado poderosos, estaban muy conectados, tenían dinero y recursos como para levantar cada piedra de Casas Chicas hasta dar con su *mushasho*. Vivo o muerto. Lo último que quería en el mundo era involucrarlos. Por eso mejor agarró a Paulo y fue a tirarlo al jardín del coto cuando calculó que estaba por pasársele el efecto del último calmante.

No tenía caso arriesgarse más. Había fallado. Pensaba deshacerse de las pruebas incriminatorias (las jeringas, mi chamarra…) arrojándolas a la zanja de siempre. Pero las bodas de oro lo impidieron. Chuy fue comisionado para conseguir el coñac favorito del festejado. Luego, inepto hasta el fin, se emboletó en ello, regresó, comenzó a beber y lo olvidó.

Sofía le formuló la pregunta inevitable.

—¿Por qué hiciste todo esto?

Chuy consiguió incorporarse. Resoplaba como un caballo justo antes de caer al suelo y dejarse morir. Sonrió con aire paternal y se relamió los labios.

—Porque el patrón me lo ordenó.

El golpe de Paulo le cerró la boca.

—¡Con mi jefe no te metas!

Ni siquiera Félix, cuya fuerza era considerable y que sostenía a Chuy para evitar una improbable escapatoria, se bastó para mantenerlo de pie. El tipo se desplomó como un costal. Paulo se había lastimado. Pegó un grito y se dobló sobre sí. Sofía comenzó a sollozar. No gimoteaba ni se estremecía: apretaba los labios. Rabín quiso abrazarla y ella se lo sacudió de encima con violencia.

A Paulo se le había congestionado la cara y el sudor le goteaba desde la frente y las patillas. Una ráfaga de ideas le estaría ametrallando la mente. ¿Las lágrimas de su padre, al verlo de vuelta en casa, a salvo, fueron pura pantomima? ¿Era don José Carlos el autor de toda la pinche pesadilla? Rabín le ofreció un cigarro, que fue rechazado. Sería, supongo, la primera cajetilla que había comprado en la vida.

Lo evidente era que debía tomarse una decisión.

—Hay que llevar a este pendejo con la policía —dijo Félix—. Pero antes tienen que hablar con su madre. Decirle.

Sofía se inclinó hacia Chuy, que se debatía a punto de recobrar la conciencia. Esperó a que abriera los ojos para darle un bofetón afilado como latigazo.

—Ya déjenlo —exigió de nuevo Paulo, con voz lastimera.

Sofía encaró a su hermano. Agitó el puño frente a su cara, descompuesta. Discutieron. Se increparon. Se dijeron todo lo que dos hermanos pueden decirse en un momento como ése. Reclamos que iban desde la anterior promesa de no decirle nada a doña María Inés (que estaba a punto de romperse) hasta viejos conflictos familiares que alcanzaron extremos como "nunca me visitas en Guadalajara" o, peor, "estoy harto de que engañes a Rabín con este pendejo" (y entonces, mi amigo me señaló). Félix, sorprendido, me arrojó una mirada de orgullo pero evitó decir nada.

Total: Paulo se negaba a seguir. No había pasado nada, dijo, él estaba bien y también Luisito (brinqué al oírme nombrar en diminutivo). Lo que hubiera pasado estaba resuelto. Mejor olvidarse del tema. Contarle a su madre lo que había sucedido equivaldría a una sentencia para don José Carlos. Había que ocultarlo a toda costa y dejar que la historia muriera. Que Chuy se fuera a su casa (en su estado era ilusorio pensar que podría volver a la fiesta: la nariz hinchada como un tamal, el puño de Félix pintado en el pómulo y el traje roto en tres puntos diferentes), y ya verían cómo y cuándo hablar con su padre.

—Y tú no vas a decir nada —ordenó poniéndome el dedo en la cara.

Claro: amenacen al invitado huérfano y pobre. Félix tenía razón: eran todos unos hijos de perra.

Paulo no era el único fuera de sí. A lo largo del interrogatorio, Rabín había permanecido mudo, fumando y torciéndose, pero ahora le habitaba una expresión diferente en la cara. El gesto confiado y amistoso ya no estaba ahí. En su lugar, una mirada amenazadora y resentida. Entendí el fondo del asunto. Era muy diferente andar de guía a soportar que el invitado pobretón se le acercara a tu novia.

Pero ni el hermano ni el novio conocían a Sofía si esperaban disponer de ella como de una mascota. Yo, qué quieren que les diga, apoyaba su derecho de hacer lo que le pegara la gana. Especialmente porque me convenía. Para qué voy a darme baños de pureza. Y quizá también porque, al contrario de lo que les ocurría a ellos, mi atracción por Sofía estaba cimentada en su carácter imposible. Domarla sería dejarla en coma.

La discusión terminó en tromba: Sofía corrió para denunciar a don José Carlos ante su madre. Paulo, para impedirlo. Rabín, para buscar el cuchillo con que intentaría matarme.

Quise correr tras ellos pero Félix me detuvo. Ya no había nada que pudiéramos hacer, aseguró. Era mejor tomarlo con calma. Lo único urgente era asegurar la presa. Anudamos a Chuy con un mecate que encontramos en su cajuela (con tantas manchas de sangre que era verosímil que ya hubiera sido utilizado antes para esa misma función). Decidí colocarle unas tiras de cinta plata en la boca y los ojos. Me concentré en que le taparan el bigote y las cejas para que le dieran una buena depilada al liberarlo. Soy, qué quieren que les diga, un tipo rencoroso. Félix propuso dejarlo en el asiento trasero y eso hicimos. Sudorosos y triunfantes, emprendimos al fin el camino al salón.

Una bandada de aves cruzó el cielo. Algunas nubes tapaban, por primera vez en el día, los ojos del sol. Una lenta serenidad me invadió: a fin de cuentas, yo no era el blanco de la batalla y podría volver a mi casa. Había recobrado la chamarra y hasta la cartera. Y ya no me sentía en la obligación de resolver nada en Casas Chicas. Aquello iba a irse al carajo conmigo o sin mí.

Por eso, mi primera reacción ante el infierno desatado en La Fregadera fue sonreír. La segunda, también.

Hay una vieja tonada que aprendí en el autobús que me llevaba a la preparatoria. La canción, que todavía recuerdo, decía así:

Songo le dio a Borondongo
Borondongo le dio a Benabé
Benabé le pegó a Muchilanga
Le dio a Burundanga
Le jincha los pies…

No existe mejor descripción de lo que vimos al entrar al recinto. Las notas de *Por ti volaré* sonaban una vez más. El tenor traído de la capital las entonaba con pasión evidente. Tras él, el trío de cuatro se entregaba a un frenesí interpretativo. Más tarde supe que habían repetido la pieza por órdenes del patriarca Mendieta, pues era sabido que conmovía hasta las lágrimas a su mujer.

Ahí terminaba la parte cordial de la escena. A su alrededor había estallado una violencia cavernaria: gritos, vasos que caían, conmoción. Cada paso que dábamos era estorbado por mil y un torpes invitados que intentaban alejarse del remolino central de la lucha o, como nosotros, acercarse a él.

Encabezados por el abuelo, los Mendieta se encontraban reunidos, en violento conciliábulo, en torno a don José Carlos. Dos hombres calvos, hermanos de doña María Inés, le daban de empellones. Pero era la matriarca del clan quien llevaba el peso del ataque. Con uñas afiladas (y llenas de brillantina) había desgarrado la cara del patrón. Luego lo tomó por las solapas del saco y procedió a darle de cabezazos. Le gritaba, entretanto, toda clase de improperios: impotente, ladrón, hijo de la tiznada.

Su principal argumento era incontestable:

—¡Es tu hijo, cabrón! ¡Tu hijo!

Los Osuna, sin embargo, no permanecieron indiferentes ante la humillación de uno de los suyos. Eran, ya lo he dicho, una familia de tamaños notables. Robustos y decididos como búfalos, embistieron el cerco que los empleados de confianza habían dispuesto en torno al círculo donde estaban a punto de sacarle el corazón a don José Carlos. Lo dispersaron y consiguieron, incluso, echar al suelo a un par de los Mendieta antes de que el grueso de la familia reparara en su incursión.

Allí comenzó la locura. Los Mendieta y sus secuaces eran una sólida mayoría, pero las dos decenas de Osuna, mujeres incluidas, integraban una línea de avance formidable. Las reclamaciones se transformaron en amenazas, los empujones en puñetazos y forcejeos. Alguien, nunca se supo quién, desenfundó una pistola y se puso a soltar tiros al aire. Las sillas, con todo y los recubrimientos de gasa y oropel, rodaron por los suelos como quinceañeras golpeadas. Las mesas de riqueza espléndida colapsaron bajo el peso de los caídos.

La balanza se inclinó al fin. Doña María Inés tomó a su marido por los testículos y lo hizo arrodillarse con un apretón inapelable. Superados en número, los Osuna no consiguieron llegar al núcleo de la tempestad. El único que pudo acercarse fue neutralizado por un golpe del bastón del abuelo directamente apuntado a su entrepierna. La abuela, que había permanecido ecuánime hasta ese instante, le volcó un plato de sopa al caído.

A unos metros, Paulo y Sofía se habían trabado a golpes también. Bajo la augusta mirada del retrato de los festejados, se ahorcaban mutuamente y se daban de zancadillas. El arma principal de Paulo consistía en un insulto despreciable (y muy extendido) con el que se suele echar al fuego a las mujeres. Sofía, por su lado, era más delicada y se limitaba a escupirle y llamarlo imbécil. No me sorprendió que derribara a su hermano (conocía de sobra sus habilidades para eludir golpes y propinarlos) ni que, segundos después, lo hubiera obligado a rendirse.

Rabín, por su parte, no se había olvidado de mí. De una de las mesas obtuvo un cuchillo para carne y avanzaba con expresión desequilibrada. No tuve tiempo de entablar negociaciones. Aquellos eran tiempos en los que pocos hablaban de diálogo, tolerancia o cosa similar. La comunidad esperaba que uno diera y resistiera golpes. Se le llamaba "ser hombrecito": caso curioso de un diminutivo que aumentaba. Siempre renegué de ello.

El clavadista me persiguió en mitad de la batalla campal porque era mi sangre lo que quería. Tuve que saltar por encima de tipos enredados en abrazos violentos, de mujeres que se ahorcaban y esquivar manos crispadas y vasos lanzados a los aires para convertirse en proyectiles mortíferos. De cuando en cuando sonaba el eructo de un tiro.

Rabín me arrinconó cerca del pasillo que conducía a los baños. Era el fin. Tuve que aflojarme la corbata, que comenzaba a resultarme una boa asfixiante. El clavadista, con labios apretados como pinzas, lanzaba cuchilladas, aproximándose. Comprendí que vivía la repetición de una pesadilla. Mis padres tiroteados en el banco. El Ojo de Vidrio prometiéndonos la muerte.

Cuando hablamos de instinto tendemos a hacerlo para atribuirle las peores características. Por instinto molestamos a los otros, por instinto acosamos, por él reaccionamos como cerdos cuando se espera que nos comportemos como ángeles. Pero, a cambio, por él somos capaces de sobrevivir. De tomar una silla, como un domador de fieras, e interponerla ante unas fauces abiertas. Por el instinto somos capaces de recobrarnos y sostenerle la mirada al predador. Por instinto le pegamos un sillazo en la cabeza y lo mandamos al suelo. Y, claro, lo rematamos a patadas aunque ya haya soltado el cuchillo.

Y sólo la intervención de un amigo puede detenernos.

Félix Franco había perdido el saco de color caqui en la reyerta y su camisa de cuadritos tenía una manga rota, que le colgaba aún del brazo como banderola a media asta. Incluso él, un peleador más curtido que cualquiera que hubiera conocido, acusaba los estragos de la batalla. Parecía uno de los guerreros de mis libros, cubierto de sangre y tripas. Revisó que Rabín estuviera respirando (su frente descalabrada no había parado de manar) y, luego de constatar que sí, me palmoteó.

—Qué madrazo le acomodaste.

Rabín se quejó en mitad de la inconsciencia.

El *blackout*.

Estaba al límite de mis fuerzas. Me quité el saco y lo arrojé de cualquier manera sobre una silla. Tuve que empujarme dos cervezas al buche antes de recuperar el aliento.

Apenas lo hice pude reparar en los alcances del desastre. Aquello era un caos babilonio. Recorrí el salón para tomar nota mental de la destrucción, que era extraordinaria. Algunas copas habían hecho blanco en los rostros gigantes del mural, maculando las mejillas de los abuelos con la sangre del vino y cubriendo sus ropas de churretes colorados.

Cuando volví al punto de partida, Félix me devolvió el saco.

—No lo dejes ahí. Te van a chingar de nuevo la cartera.

Tenía razón.

El cansancio acabó por pacificar a la jauría. Ninguna pelea a puño limpio puede durar demasiado. Cuando la policía llegó al lugar, pocos persistían en la lucha. Al borde del infarto, aporreados como aguacates, los Osuna resoplaban en el suelo, vencidos. Habían dejado, eso sí, un caudal de enemigos fuera de combate.

A don José Carlos hubo que mandarle traer a los paramédicos, porque su mujer le había desprendido la retina del ojo derecho de un arañazo. Apenas los Mendieta pudieron acercarse a los agentes que arribaron y revelarles el fallido secuestro y el resto de sus planes malévolos, el padre de mis amigos fue esposado.

Se produjo, así, la peor escena del día. Paulo, desasido de su hermana, logró alcanzar la camilla en la que se llevaban al padre. Lo abrazó. Lloraba como un niño. Pero los Mendieta se interpusieron y fue desviado. Y doña María Inés, ante quien lo condujeron, utilizó uno de sus mayores poderes para tranquilizarlo: le cruzó la cara de un bofetón. Ella, la misma que estaba mandando al marido a la hoguera por haberse metido con ese hijo ahora de rodillas, lacio, sacudido por el llanto.

—¿Me trae otra sopa? —preguntó la abuela a un mesero despelucado.

Acomodada en la única mesa que no había rodado, se hurgaba los dientes con un palillo. Como el mesero titubeó, el abuelo, de pie junto a él, le pegó un empujón lo suficientemente fuerte para mandarlo a la cocina. Luego exigió a gritos a los aterrados músicos que reanudaran la interpretación de *Por ti volaré*.

Era obvio que esa gente controlaba el pueblo.

IX

No hubo cena de Noche Buena y la Navidad amaneció silenciosa. Nadie puso regalos bajo el árbol. Me encerré en el cuartito anexo a la biblioteca y asomaba sólo de cuando en cuando para obtener agua y comida del refrigerador. A veces, a la distancia, veía pasar a Paulo o a Sofía, pero ninguno de los dos se acercaba. Tampoco lo hice yo. Sus padres ya no aparecieron por la casa luego del zafarrancho de las bodas de oro.

Conseguí el número del aeropuerto en un directorio telefónico que encontré en los estantes de la biblioteca. No me costó más de cinco minutos adelantar el vuelo a Guadalajara al primer lugar disponible, al día siguiente. No tenía caso seguir en Casas Chicas. ¿Qué carajo iba a hacer otra semana en mitad de ese naufragio?

Félix tocó a la puerta de la casa poco después. Lo vi a través de la ventana y salí a recibirlo con alivio. Una cara conocida, al menos. Sofía no respondía llamadas, dijo el periodista. Paulo tampoco. Están encerrados, le confié. No debe ser fácil.

Me invitó a desayunar. El único sitio abierto en el pueblo era una cafetería en plena carretera, por el rumbo del anfiteatro. La silueta de caja de zapatos de la agencia municipal se recortaba en el horizonte. Habían pasado unas horas desde mi visita a aquel lugar pero sentía como si hubieran sido años. Comimos burras con tortilla de harina y bebimos café sin azúcar.

—Está bueno que la Sofía te ande calentando, ¿no? Me da gusto porque el Rabín es un pendejazo. Como su padre.

Con eso arrancó. El asunto le complacía de tal modo que consiguió que nos trajeran un par de cervezas a la mesa. Aún no sabía muy bien cómo sentirme al respecto de lo que había sucedido, pero su entusiasmo era tanto que hasta brindamos.

Pero Félix tenía más que decir, claro. Había pasado día y medio, incluida la Noche Buena, empeñado en conseguir los chismes sobre el caso. Contaba ya con un expediente bastante completo.

—Don José Carlos tiene deudas por todos lados. Su negocio de construcciones está quebrado. Llevaba años sin obras municipales porque su mujer está furiosa con él. Supongo que la acusación de "impotente" viene de ahí. Los amigos de la familia sabían y no le daban ni los buenos días. Los Mendieta son poderosos. Y los Osuna nomás sirven para echar pleito.

Al ver un día a las mujeres de la plaza, en su eterna campaña en busca de la chica desaparecida, don José Carlos concibió la idea del secuestro. ¿Qué madre se negaría a pagar un rescate por su hijo? El momento ideal para intentarlo lo dieron las bodas de oro. Su mujer se ausentaría unos días, en lo que organizaba. Eso abrió la puerta.

El plan era muy sencillo: secuestrar a Paulo, asustar a Sofía, tomar de la cuenta familiar el dinero para fingir el pago, el suficiente para sus deudas y un poco más, por lo que pudiera requerirse. Y sobre la marcha se les ocurrió hacerme desaparecer para mandar la indagación por otro lado. Paulo regresaría antes de que su esposa supiera nada. El motivo del desfalco quedaría clarísimo y nadie se atrevería a poner en duda el testimonio desgarrador que los *mushashos* darían. Él quedaría como un hombre bragado y capaz de lo que fuera con tal de proteger a la familia.

Pero su propia ineptitud y la del fiel Chuy (a quien la policía recuperó, ya empacado, gracias a nuestras instrucciones) dieron al traste con todo.

—Un mal secuestro, de novatos. Al menos no acabó en tragedia.

Félix lo decía porque era común que, si las negociaciones para liberar a un secuestrado fracasaban, el tipo acabara muerto. No fue el caso, pero de que había tragedia, la había: la familia Osuna Mendieta había dejado de existir.

La cerveza me supo a gloria. Había pasado otra noche de soledad pero ya era 26 de diciembre. El viaje que nunca debí emprender llegaba a término.

Debo confesar que hasta aquella mañana había sido un pésimo bebedor: pasaba los tragos sin respirar, procuraba no detenerme en el sabor. La cerveza era amarga y el paladar inexperto prefería los resabios dulces y había que entrenarlo. El proceso podía durar un par de noches pero a veces pasaban meses o años antes de que uno apreciara la cerveza como era debido, en todo su rudo esplendor. Esa mañana, creo que por primera vez, lo hice. Tenía sed de cerveza, ésa que puede sobrevivir ocho o diez botellas sin menguar y que, incluso, puede acrecentarse si uno la acompaña con unas rajas de cecina.

El vuelo a Guadalajara estaba programado para cerca de la medianoche. Y aunque era previsible que se retrasara, tendría que esperar cualquier cosa que fuera a suceder sentado en la terminal del Aeropuerto del Valle.

Félix Franco me citó temprano. Eso quería decir, en sus términos, las once. El bar de ambiente vaquero que utilizaba como oficina estaba deshabitado esta vez y una misma chica, embutida, como acostumbraban aquí, en unos *jeans* tan ajustados como pintura corporal, atendía la barra y servía las mesas. Debía ser muy amiga de Félix, porque al ponerle los tragos enfrente lo abrazaba y le vaciaba su dulce risita en la oreja.

La rocola babeaba lentas canciones de *country*. Mi ánimo acompañaba la caída de las notas rasgueadas por guitarras crujientes y melosas. Habían sido días deprimentes. Decir que todo había salido mal en Casas Chicas era un resumen insuficiente de la realidad. El viaje había sido una hecatombe. Pensé eso pero no lo dije, en parte porque el periodista lo sabía y en parte porque la tristeza favorece el silencio. Mis palabras preferidas esa mañana fueron "sí", "no" y "ey". La sonrisa de la chica vaquera, cada vez que me obsequiaba con una nueva cerveza, era pura compasión.

—Al menos se resolvió el asunto —filosofó Félix, mascando una tira de cecina que blanqueaba de sal.

Era verdad. Los cabos habían sido atados, las piezas cayeron en la ranura correspondiente. Para mal, claro, pero no puede tenerse todo. Me quedaban aún algunas perspectivas en la vida, pensé: la casa de mi tía, la fría enemistad del siniestro Tacho, la Biblioteca Cultural del Sur, la escuela y los recuerdos del viaje más desastroso en la historia de las vacaciones humanas.

Félix perdía la mirada en el paisaje de azoteas visible desde los ventanales. O quizás en la plaza, allá abajo. La voz eléctrica de un altavoz llegaba a nosotros, apenas estorbada por el zumbido de los automóviles y la pasadera.

"¿Dónde está, dónde está?", preguntaba.

Un cabo suelto, me dije, uno que no había visto.

—¿Son parientes, la señora de la plaza y tú? —la frase era tan ingenua que me dolió pronunciarla.

Félix no volvió la cara. Quizá le costaba aceptarlo.

—La desaparecida es mi prima. O era. Mi tía Emilia la busca.

—Carajo.

Por eso se había involucrado en el tema, por eso conocía las estadísticas, los procedimientos oficiales, cada oficina responsable y cada reporte posible. Por eso, por las mañanas dejaban sobre su escritorio el pedazo de un fax con la lista de los muertos.

Salimos del bar pasada la hora de comer. La mesera despidió a Félix con un abrazo más empalagoso que las canciones de la rocola. A mí me dijo adiós con la mano, como a un niño. El viento, igual que cada día, acuchillaba. Me gobernaba el mareo.

La plaza estaba casi desierta. Sólo el grupo de mujeres de pie ante el edificio de la presidencia se encontraba bullente de actividad. Levantaban las manos para elevar sus pancartas y las voces.

¿Dónde está, dónde está?

Apenas dos o tres viejos, derrumbados en las banquitas del quiosco, les prestaban atención. Las oficinas permanecían mudas. Bajé la cara cuando caminamos por la banqueta de la presidencia, frente a las mujeres.

Mis desdichas eran ceniza al lado de las suyas.

—¿Vas con los Osuna? —irrumpió Félix.

Acepté. Necesitaba recuperar mis cosas antes de largarme. El periodista tenía el día libre en el periódico y se ofreció llevarme a buscar mi equipaje y, ya más tarde, a escoltarme a beber mientras llegaba la hora del vuelo. El *jeep* cascabeleó pero supo ponerse en movimiento. La boca me sabía a tierra. Comenzaba a reconocer las esquinas y calles de Casas Chicas.

Era hora de largarse.

Era inevitable el encuentro. Paulo pensaría lo mismo. Sentado en la sala, en el único rincón tocado por el sol, fingía hojear un cómic. Al menos eso supongo. No lo imagino prestando atención a nada más mientras aguardaba. Le temblaba la mano.

—¿Qué pues?

Saludaba como siempre pero despojado de su vieja mirada de perro amable. Ahora me odiaba.

—Acá. Me voy en un rato.

—Sí.

Él me había invitado a su pueblo, había pagado mis vuelos y me había alojado en su casa. Y yo, como pago, ayudé a destrozar a su familia. El pronóstico se había cumplido: si doña María Inés se enteraba sería el fin. No se lo dije ni agregué tampoco lo que era evidente: que Sofía tuvo oportunidad de pararlo y lo precipitó.

—Sofía me dijo que te había conocido en una biblioteca. Según ella, no tenían que ver. Si hubiera sabido ni siquiera te hubiera hablado en la escuela. Mucho menos te hubiera traído.

Paulo se miraba los zapatos.

No supe qué responder. Sofía había ayudado a que nos hiciéramos amigos y luego, involuntariamente, a que dejáramos de serlo. No debió planearlo. Uno nunca planea algo así. Eran cosas que simplemente sucedían.

Y ya era hora de liar el petate.

Saqué la maleta y la mochila de mi cuartito. El traje de la fiesta, sucio y destrozado, y la camisa llena de sudor, seguían donde mismo, arrojados de cualquier modo a la alfombra.

Se quedaron allí.

Rabín había dejado el depósito en Creaciones Paredes y su firma aparecía en el pagaré. Era su pinche problema. Que lo resolviera.

Sofía no estaba en la sala ni en la cocina. No quería marcharme del pueblo sin verla y me atreví a incursionar en sus dominios. La recámara estaba desierta. Acaricié tímidamente la colcha de la cama, me asomé al vestidor. El aire olía como ella (una mezcla de jabón, perfume y sudor), pero no había otro rastro suyo. En el baño del pasillo, ya de salida, encontré la cartita de amor.

Sólo en ese momento reparé en que no la tenía conmigo. Había sido una estupidez llevarla encima, una debilidad. Mi euforia al comprobar que no la había perdido en mitad de la reyerta de las bodas de oro (apareció en el bolsillo interior del saco, justo donde la había colocado al vestirme) fue prematura. Soy un imbécil, pensé. Se metieron al cuarto y me la sacaron. Una pinche cartita de amor. Debería haberme contenido.

Abandonada en el cesto de basura, la carta había perdido su última dignidad. El sobre, intacto salvo por una rotura en el extremo, conservaba las letras recortadas de la revista que formaban el nombre de Sofía. Me dieron náuseas al recordarme empeñado en fabricar tamaña idiotez.

¿Era ella quien la había leído y despedazado? ¿Alguien más? ¿Paulo, infantil e indignado? ¿Rabín, celoso y vengativo? Respetuosamente, como quien guarda las cenizas de un amigo, me eché los trozos al bolsillo.

Luego, en un arrebato de furia, escupí en el espejo.

Que los Osuna limpiaran.

Tenían mucho por enjuagar.

Salí con maleta y mochila a cuestas. Paulo seguía allí, las manos en los bolsillos, incapaz de boquear palabra. Me detuve frente a él. No es sencillo despedirse de alguien a quien contribuiste a partirle la madre.

—¿Te veo allá?

Imposible pensarlo de regreso en Guadalajara, en la escuela, en los sábados de futbol.

—No. No creo.

Fue lo último que nos dijimos. Permaneció sentado, sin mirarme.

No volvió a Guadalajara, claro. Y no volví a verlo por años.

Pero ésa es otra historia.

Salí por la entrada principal y la aseguré con el detenimiento que se le dedica a una puerta que no volveremos a abrir. El guardia de la caseta escuchaba una canción bastante curiosa para un paladín como él: un corrido sobre criminales y balazos. Parecía entusiasmado. No me prestó atención cuando pasé bajo sus narices.

Alcancé la calle.

Había quedado de ver a Félix en el centro. El periodista quería llevarme a degustar la famosa carne asada local antes de mi partida. No me molestaba hacer el camino a pie: la maleta tenía rueditas y la mochila no pesaba.

Me detuve por un instante para corroborar que la libreta estuviera aún en mi poder, preocupado por el recuerdo de la cartita abierta a mis espaldas. Había hecho tantas anotaciones sobre el pueblo que me espinaba la posibilidad de que se perdieran. Pero allí estaba, en la mochila. Eso sí: una de las primeras hojas se había salido del espiral. La revisaron también, deduje. En fin. Daba lo mismo.

El parque al otro lado de la calle lucía, como siempre, ocioso y árido. Un poco de hierba crecía alrededor de la sombra del único árbol de cierto tamaño, como el pequeño redondel de cabello que se dejan los calvos para sentir que su nuca está a resguardo de la furia de los elementos.

Sofía, sentada en tierra y con la espalda contra el árbol, miraba el cielo de Casas Chicas, que se había puesto gris y viscoso. Enfriaría aún más por la tarde, pensé. Me desagradaba sentarme en el suelo, lo he dicho ya, pero hacerlo al pie de los árboles era una excepción. Siempre disfruté las mañanas de escapatoria escolar en Los Colomos. Dejé las cosas a un lado y me acomodé junto a ella con premeditación: nuestros costados se tocaron.

Sofía reaccionó.

—¿Ya viste? Te dije que no vinieras.

—Sabías que le iba a abrir la cabeza al pendejo de tu novio.

—No quería que pasara nada como eso, justo. Pero se puso peor, ¿no?

Sonreía con amargura.

Volvimos a besarnos bajo el árbol. Debía ser un sitio común para hacerlo: el tronco estaba marcado y la corteza rota en decenas de peladuras. Los vallenses lo utilizaban como el periódico mural de sus amores. "Lili ama a Sergio." "Hugo y Maritza." "Antonio y Olivia." Frases escritas a punta de navaja.

Sofía se dejó caer a la tierra y me tendió los brazos. Nos trenzamos y nos ensuciamos otro poco. Cuando nos incorporamos, tuvimos que sacudirnos la ropa. Tampoco importaba.

—No quería jugar de nuevo con Rabín. Por eso dejé de buscarte, allá.

Debí hacer algunas preguntas porque la frialdad de Sofía para con el clavadista era evidente. Pero en aquel momento, cautivo, no dije nada. Que estuviera engañando al idiota conmigo me daba, en todo caso, una peculiar felicidad.

—Siempre he creído que voy a terminar casada con él. Hicimos juntos el kínder y la primaria. Tuve quince novios acá y otros quince allá. Y volvimos.

Le pedí que se detuviera. Dijo otro par de frases que también interrumpí. Removía la mano en el aire como si pudiera borrarlas. Creo que terminó por entender que no necesitaba sus disculpas.

—¿Vas a volver?

—No sé.

Nos abrazamos. Mi ánimo había cambiado desde los viejos tiempos. Habían pasado demasiadas cosas. Mi mano temblaba menos, quizá. La deseaba tanto que me habría cortado esa mano con tal de tocarla antes con libertad (sé que esto suena como una idiotez y una contradicción, pero así lo anoté en la libreta y me parece que debo recordarlo). Nos besamos con tal violencia que acabamos por estrellarnos contra el árbol. Sentía que se le entrecortaba la respiración. Yo estaba hirviendo.

Al final me apartó. Tenía demasiados problemas encima como para meterse en otro más: eso supuse. Resoplamos. Volví a abrazarla. Era momento de desaparecer.

Tomé el equipaje y me fui. Tenía una espectacular sed de cerveza.

Félix Franco me dejó en el aeropuerto a eso de las once. Por recomendación suya detuvimos la ingestión de cerveza a las nueve. Yo comencé a beber agua mineral y él se resignó al *whisky* con hielo. La carne asada había sido una luminosa exageración. Había que reconocer que era suculenta. La mejor que iba a probar en la vida, había profetizado Paulo. En eso, por lo menos, tuvo razón.

La terminal del Aeropuerto del Valle parecía un puesto de comida callejera en hora pico. Los pasajeros se apretujaban junto a los locales de cecina envasada al alto vacío y rellenaban sus maletas. Debían extrañar muchísimo, cuando viajaban, aquellas tiras requemadas, saladas hasta el vómito y perfectas para escoltar la ebriedad.

El avión salió cuarenta minutos tarde porque los vallenses tardaron media eternidad en acomodar en los contenedores de la nave los bultos repletos de juguete americano importado y pantalón talla extra recopilados en las fiestas navideñas.

Logré acomodarme junto a una ventanilla. El despegue fue apacible y veloz. La oscuridad, afuera, era absoluta. Sólo, de tarde en tarde, las manchas luminosas de los pueblos se rebelaban ante la negrura. La azafata me ofreció un paquetito de cacahuates que tomé por inercia. Seguía empachado de carne, cerveza e inquietud, y acabé por abandonarlo junto a las revistas y las bolsas de mareo. En algún momento apagaron las luces y los murmullos de los pasajeros cedieron a un silencio agotado. Entre eso y el bamboleo del avión, terminé por dormirme.

Desperté con el golpazo del aterrizaje.

Serían las tres de la mañana.

Allí estaba, de vuelta en la vieja Guadalajara, con otra desventura más a cuestas.

Otra muesca en la madera.

Era sábado por la tarde. Mateo estaba a punto de concluir la capa de gris metálico sobre un modelo de tanquecito aliado de la segunda Guerra. En la biblioteca no había más alma que la mía. Instalado en la mesita del rincón, alcanzaba las páginas finales del tomo noveno de la saga del *Mundo plano:* el último de todos.

Uno de los protagonistas acababa de morir heroicamente y otro, empecinado en la misma batalla, se dedicaba a salvar la ciudad de la damisela a la que había amado sin esperanza durante tres mil páginas. No era poco.

Los recientes meses habían transcurrido bajo un clima de tranquilidad. La tía Elvira me recibió con menos reproches de los previstos y, aunque suponía que no iba a volver hasta después del Año Nuevo, no hizo preguntas. El malvado Tacho comenzó a tolerarme en sus tardes de siesta. La escuela avanzaba sin complicaciones, pese a que Paulo no volvió de Casas Chicas y, privados de su amistad y la disponibilidad de su condominio, el grupo de quienes nos reuníamos a veces para ver el juego de los sábados se disolvió.

El tiempo no tuvo más remedio que seguir su curso. En abril logré el primer diez de mi trayectoria escolar en un examen (fue en español: nada que sirviera para ganarse la vida). Justo antes de que comenzara el verano, me dejé una pequeña barba de candado que, mágicamente, creció como debía.

Intenté aficionarme al cigarro luego de un par de pruebas. Pero fracasé. Aunque llegué a dominar el arte de darle el golpe sin ahogarme, a la mañana siguiente me atacaba una tos insoportable. Eso sí: de cuando en cuando, en las fiestas, me refrescaba con cinco, siete o diez cervezas heladas. Ese vicio supremo perduró. Era, pues, un verano tranquilo.

Creo recordar que me faltaban quince páginas por leer del dichoso tomo noveno. Muy pocas cuando has recorrido tres mil. Un parpadeo. A la velocidad con que había transitado por aquella historia, lo probable era que no me hubiera tomado más de diez minutos liquidar el final.

Me disponía a hacerlo cuando descubrí a Sofía. Llevaba *jeans* y una playera holgada e indistinta. Mascaba chicle. No de un modo aparatoso, sino discreta como una niña. Se acomodó en la mesa al flanco derecho de la mía, justo donde no podría evitar mirarla. Tomó un libro del estante y lo cerró de inmediato: era una de las obras pías que solían estar por allí sin que nadie les hiciera caso. Nos sonreímos.

Cerré mi propio libro justo antes de que el héroe sobreviviente subiera la torre en la que su damisela se había refugiado durante la batalla, lista para saltar por la ventana si es que los malvados pretendían tomarla prisionera.

Era, sí, ese tipo de novela.

—¿Vamos afuera?

Ajeno a nuestro encontronazo, Mateo revisaba su tanquecito a la enérgica luz de un neón. Se había calado las gafas y, desde luego, no nos hacía el menor caso. Salimos al sopor vespertino. El prado lamía el muro de la biblioteca. El calor había expulsado a la gente a la calle: el parque rebosaba de niños, parejitas a paso lento, ancianos con perros jadeantes. Recorrimos unos cien metros de pasto quebrado y seco bajo los árboles. Una nube solitaria navegaba los cielos. La gritería de las aves llovía desde cincuenta copas a la vez. La llegada de la oscuridad era inminente.

Algunas gotas de sudor bajaban por el cuello de Sofía y al seguirlas con la mirada acabé por torcerme. Su cercanía, otra vez, me ponía a temblar.

—Apenas hoy salí. Y sólo llevo tres días en la ciudad. ¿Cenamos? —dijo ella.

—No tengo dinero.

—Ya lo sé —y se puso a reír.

Me ofendí.

La serenidad con la que había transcurrido el año se agrietaba por todas partes. Me sudaban las manos y debía limpiarlas cada pocos segundos en mis pantalones. Me sentía sucio, mal vestido. Esas sensaciones horrendas, en fin, que nos regalan el nervosismo y el calor.

No pregunté por Rabín, cuyo destino no me importaba mayor cosa. De todos modos, la cascada de noticias sobrevino. Paulo estaba estudiando en San Diego y no le iba mal. La madre se había resistido a vender la casa y tardó varios meses en permitirle a Sofía salir del pueblo. Finalmente, se impuso su escasa sensatez y aceptó que regresara a Guadalajara para seguir los estudios. Y, bueno, luego del divorcio (que los parientes abogados tramitaron en un santiamén) y de un acuerdo que incluyó la retirada de los cargos contra él a cambio de no volver a pisar el pueblo, don José Carlos se había marchado de Casas Chicas y no se tenían nuevas suyas. Vivía lejos, al otro lado de las montañas, junto a la frontera. Chuy, el fiel e inepto escudero, fue el pagador principal del incidente. Se pasaría un par de decenios embodegado en prisión.

En cuanto subimos al taxi, Sofía comenzó a besarme.

El conductor tuvo el buen gusto de hacerse pendejo y subirle a la radio.

Juanelo y Mandy, los dueños de Le Chalet, eran nativos de Casas Chicas. Su restaurante estaba en una callecita de alguno de esos lejanos fraccionamientos residenciales al noroeste de la ciudad, muy fuera de mi rango geográfico (y económico). Las paredes del local lucían una serie de carteles con vistas de París y unos lagos suizos. Colgado en mitad del muro, un menú de madera pirograbado con letra gótica proclamaba los nombres de los platos y bebidas disponibles. Los manteles tenían bordados escudos heráldicos (los habían comprado en unas rebajas en Nantes).

—Me dijeron que era buenísimo —aseguró Sofía.

—¿Quién?

—Mi madre —aceptó con cierta vergüenza—. Pero nunca ha venido. Los conoce de allá…

Tuvimos la mala fortuna de que Mandy, que era la experta, no estuviera por ahí. Al parecer, el calor le había provocado una afección estomacal. Juanelo, su marido, fue el encargado de tomarnos la orden y, también, el chef de la noche. Era un típico guapo de pueblo: alto, cejijunto, con sonrisa dentífrica y un par de bíceps metidos a fuerzas en una camisa demasiado estrecha.

Los problemas comenzaron de inmediato. Pedimos cervezas pero a Juanelo le pareció que no combinaban con la entrada de requesón y albahaca de Sofía, y las sustituyó por unas copas de vino de la casa, que aceptamos por pura timidez y resultaron estar agrias. Luego, cuando quisimos elegir el plato principal, resultó que no había caracoles ni brochetas. Es decir: los ingredientes estaban, pero Juanelo no sabía cocinarlos.

Aunque había algo que sabía hacer muy bien, confesó sin modestia: el *fondue*. Hice como que entendía su explicación sobre la constitución del plato (queso horneado en vasija o algo así). Sofía se mostró escéptica ante la aseveración de Juanelo de que su estilo para elaborarlo "era más mexicano". Terminó por aceptarlo por las simples ganas de llevar la velada en paz. "Con cualquier cosa se cena", dijo.

Brindamos con una segunda copa de vino agrio. Nos miramos a los ojos. Fuimos felices por unos minutos.

Debí desconfiar cuando Juanelo puso el canasto de tortillas a nuestro lado, pero estaba concentrado en la sonrisa de Sofía. Cuando llegó la cacerola ya era tarde para protestar. Lo que se encontraba ante nosotros era, sin lugar a duda, un queso fundido con chorizo. Los ojos de grasa de la superficie nos contemplaban.

—No parece *fondue* —titubeó Sofía.

Pero Juanelo, luego de resurtir las copas, había desaparecido. No respondió a nuestros gritos. Tampoco fuimos capaces de encontrarlo en la cocina o el baño. Luego de unos minutos aceptamos nuestro destino. Pero cuando la cacerola se acercaba al final Sofía dio el golpe de gracia.

—Sigo con Rabín.

Me atraganté. Tuve que recurrir a un buche de vino. Sabía a limpiaparabrisas, a detergente espumoso, a líquido para frenos. Lo escupí de regreso a la copa. Debí ponerme firme y salir con algo como "ese pendejo no te merece" o "dime que no lo quieres": no fui capaz.

—Pero Rabín está allá —agregó ella, luego de verme hacer gestos.

Y, con sonrisa de inocencia perfecta, levantó la copa, proponiéndome otro brindis.

Volví a atragantarme. Juanelo apareció cuando estábamos por irnos. Se deshizo en disculpas: los ingredientes con que contaba para elaborar los postres eran inútiles; lloriqueó porque, mientras Mandy aprendía la materia, él andaba por las calles de Lausana probando alcoholes.

En un rapto de genialidad, cuando se dio cuenta de que nos quedaría mal con el cierre dulce de nuestra cena romántica (y resaltó el adjetivo, provocándome agruras), recordó que sabía hacer unos plátanos *flambé* que nadie en su juicio podía despreciar. Por eso corrió al supermercado más cercano, esperando que su ausencia pasara inadvertida mientras terminábamos de degustar el *fondue*... Mostró una bolsa con tres bananos verdes como prueba de la historia. Luego se internó en la cocina.

—¿Qué hago? —le pregunté a Sofía.

Era lo más personal que había sido capaz de pronunciar.

Ella me miró con preocupación.

—¿Con qué?

—Contigo.

Se mordió los labios.

—No sé. La carta daba ideas.

Sentí como si me hubiera arrojado una copa del vino de la casa encima: un golpe de vergüenza y ácido sulfúrico a la vez. Me puse lívido.

—La leíste.

—Sí. Y Paulo. Y mi mamá. Y creo que Rabín también, porque no te quiere nada.

Me llevé las manos a la cabeza.

—Y, bueno, también tu cuate Félix la leyó. Se te cayó del saco en la pelea de las bodas de oro. Pero a él le caes bien: volvió a dejártela.

Ya no podía ni desesperarme.

—¿Félix? ¿Cómo sabes?

—Me lo contó. Salimos.

Escupí el vino a la copa otra vez. Ella, risueña, levantó las manos.

—No, no salimos *así*. ¿Quién crees que soy?

Ése fue el momento que eligió Juanelo para reaparecer. Llevaba en las manos una sartén de acero, una botella de brandy (nacional) y una hornilla con un quemador de alcohol sólido. En la sartén viajaban los plátanos, rebanados y sepultados bajo un manto de azúcar. Bajé la cara. Si no hubiera estado en mitad del restaurante diminuto, espantoso y ridículo de un par de vallenses, me habría puesto a llorar.

Un encendedor de cocina, largo como cuchillo, inflamó los cubitos de alcohol. Unas llamas formidables se levantaron. Juanelo, satisfecho por el efecto del fuego (habíamos retrocedido y lo mirábamos con suspicacia), colocó la sartén sobre la hornilla y dio un paso atrás: un mago listo para hacer su truco. Tomó la botella de brandy (nacional) en las manos, la agitó y vació un chorro sobre el guiso. El estallido de la lumbre nos encandiló. Fue un segundo, en lo que el alcohol se consumía, pero pareció un año. El fuego decreció, al fin, y Juanelo agradeció con una reverencia la ovación que nadie le tributaba.

En ese momento sonó el teléfono.

Debe haber sido un reflejo: Juanelo corrió al aparato, que estaba a unos metros, junto a la caja registradora. Se percató del error demasiado tarde. A punto de llegar, pegó un grito y dio la vuelta. Fue inútil. Los plátanos ya eran una costra humeante al fondo de la sartén.

Volvió a sonar el teléfono. Era, claro, Mandy.

Juanelo respondió con el abatimiento de un condenado a muerte.

—¿Corazón? Malas noticias.

Hablaba también por mí.

Caminamos por una avenida desconocida. La iluminaban decenas de lámparas callejeras. Los autos pasaban a velocidad de miedo y despeinaban a Sofía. Una ciudad enorme e ignota, demasiados caminos donde poner los pies, tantos sitios y espacios más allá de la sala de la tía y los estantes de la biblioteca.

Había renunciado a decir nada. La cartita había terminado por prestar un servicio tardío pero útil: me dejó sin secretos.

Quise pensar que no importaba. No había sentido en preocuparse de que el oficial fuera Rabín y *el otro* yo: Sofía había cruzado el país para llevarme a cenar quesadillas y carbón de plátanos con brandy (nacional) y estábamos juntos. Le tomé la mano. La brisa traía premoniciones de lluvia.

—Me gusta. Casas Chicas nunca huele así —dijo ella.

Estaba a punto de dejarme llevar por un rapto de emoción localista y decirle que no, porque Casas Chicas era una aldea polvorienta y Guadalajara una joya de la civilización.

Pero en aquel momento uno de tantos automóviles bajó la velocidad. Un deportivo con rines lustrosos y llenos de picos metálicos. Un bólido resplandeciente. Se orilló tanto que pensé que su conductor pediría que le acláraramos alguna dirección. Nos detuvimos. Hizo lo propio.

Así, por unos instantes, pudimos ver a los ocupantes.

En la ventanilla más cercana a la banqueta estaba una mujer mayor. Peinada con chongo alto, un abrigo echado sobre los hombros y un collar de perlas al cuello. Al volante iba un tipo de esmoquin y pajarita. Barbudo, de manos enormes y una expresión hosca que se convirtió en sonrisa. Era evidente que en la cuenca del lado izquierdo de su cara no había un ojo (uno como los de ustedes o los míos), sino una simple canica. Una prótesis.

El Ojo de Vidrio y su madre.

Resplandecientes y alegres, como de camino a un baile o, mejor, a una boda.

Sonrieron por un momento. Luego el Ojo pisó el acelerador y su deportivo, jalado por mil caballos a la vez, pegó un brinco adelante y se alejó por la avenida, dejando tras de sí una apretada columna de humo y el olor a azufre de los neumáticos.

Yo seguía congelado, como si me hubieran sacado la sangre del cuerpo. Sofía me soltó la mano, que hasta entonces aferraba. Se le había iluminado el rostro.

—¡La placa! ¡Hay que anotarla!

Comenzó a correr hacia el interior del parque junto al que nos encontrábamos. Supe que su plan era alcanzar el lado contrario cuando el Ojo tuviera que girar a la derecha (la avenida se cerraba metros adelante) y regresara a todo tren por la calle paralela.

Me asaltó el vértigo.

Incluso si llegábamos a conseguir la placa, ¿qué diablos haríamos con ella? ¿Más averiguaciones? ¿Pisotear algunas vidas o ponernos al borde de la muerte?

Escupí.

Era el momento de largarse de allí, de correr hacia otro lado.

Por eso tomé aire un par de veces, hasta el fondo de los pulmones, y comencé a correr tras Sofía.

Qué otra cosa podía hacer.

El rastro, de Antonio Ortuño,
se terminó de imprimir y encuadernar en abril de 2016
en Impresora y Encuadernadora Progreso, S. A. de C. V. (IEPSA),
calzada San Lorenzo 244; C. P. 09830, Ciudad de México.

El tiraje fue de 27 600 ejemplares.